屋根の上のことばたち

ねんてん先生の文学のある日々 弐

坪内稔典

新日本出版社

屋根の上のことばたち

ねんてん先生の文学のある日々　弐

＊

＊

目次

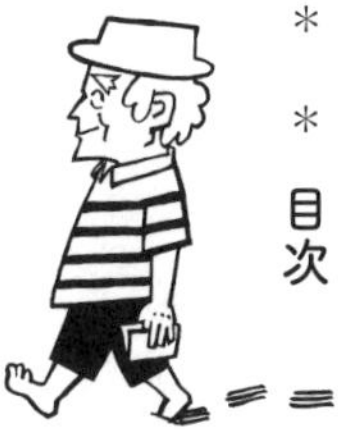

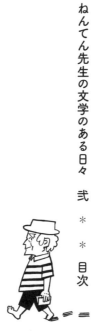

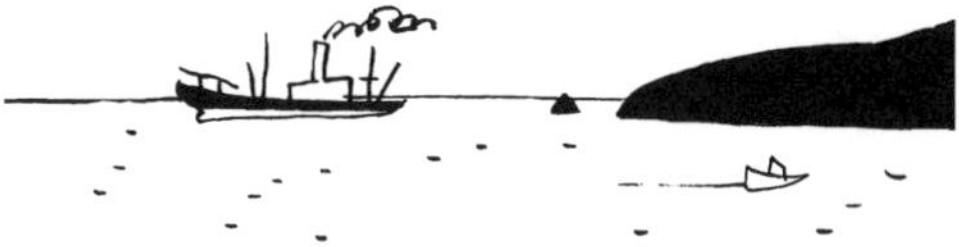

カバー・オビ・本文挿画＝佐々木知子

初出「しんぶん赤旗」連載
（二〇一七年二月・二四回から二〇一九年十月・五六回まで）

1 四季と季語と人生と

二月三日は節分、そして四日は立春である。一夜にして暦の上では春になるのだが、俳句の季語も立春以降は春になる。
実際の気候では、立春後にもとても寒い日がある。京都あたりでは底冷えと言って、立春後に厳寒の日がやってくる。でもそれはもはや冬の寒さではない。それで、余寒とか寒の戻りと呼ぶ。春寒《はるさむ》とか冴《さ》え返るとも言う。

水中の河馬《かば》が燃えます牡丹雪《ぼたんゆき》
牡丹雪ぼくもあなたもかりんとう

これは私の俳句だが、雪にしても立春後は春の雪であり、その春の雪の代表はふわふわと舞うように降る牡丹雪だ。私の句はその牡丹雪のなかの河馬を描いている。水の中で真っ赤な火を噴く河馬、空からはふわふわの真っ白い雪。これは早春の光景を想像した一枚の絵なのだ。「ぼくもあなたもかりんとう」は牡丹雪の舞う中のカップルの様子。かりんとうのように見えるのだが、二人はかりんとう好きかも。これもやはり早春の絵である。

＊＊＊

日本には四季がある、という言い方をよく耳にするが、四季は日本列島におのずと存在していたのではなく、私たちが文化的な装置としてこしらえたものである。つまり、文化なのだ。

春夏秋冬の四季以前には、二季の時代があったという。民俗学などで言われていることだが、種をまいて収穫するまでの田や畑の時期と、その収穫後の次の種まきまでの時期だ。前者は野（平地）、後者は狩猟をしたり炭を焼いたりした山の時期である。この二季の暮らしが長く続いていたところへ、新しい四季の文化が大陸から伝わってきた。

『万葉集』には四季の歌があるが、四季の文化が成立するのは平安時代、十世紀初めの『古今和歌集』のころだろう。この歌集は四季によって整然と歌を分類している。ほぼ同じころの『源氏物語』には四季の館が登場する。光源氏が四季それぞれの情趣をそなえた館をつくり、たとえば春の館には春の恋人を置く。四季が外来のモダンな文化として王朝の貴族たちに愛されたことが分かる。以来、四季は建築、飲食、衣装、絵画、詩歌などの基本になり、一年間の暮らしが四季を区切りに行われるようになった。もちろん、今なお私たちは四季を区切りにして暮らしている。

俳句はとりわけ四季を大事にしてきたが、人が四季に親しむことには一つの特徴がある。若いころ、特に子どものころなどは四季にほとんど関心がない。一般的な傾向としては、子育ての終わったころから四季を支えにする人が増えてくる。それまでは冬でも半袖でテニスをしていたママが、俳句を作ろうか、絵手紙を習おうかなどと思うようになる。野菜や花を作りたいとも思う。そうなると、にわかに四季が重みを増す。四季を力にして生き始める、と言ってもよいだろう。

＊＊＊

私見では、肉体がやや衰えたころ、人々は四季を力とも杖ともするようになる。それまでは、自分の肉体が自然そのものであって、四季という文化的装置などはどうでもよかったのだ。現在の若者もその事情は変わらない。肉体が旺盛なときは季節などをあまり意識しない。元気な子は冬でも夏のかっこうをしている。

ちなみに、肉体がひどく衰えると、今度

は四季が重荷になる。四季に合わせて暮らすことがむつかしくなるのだ。四季とは私たちが意識的、意志的に立ち向かう対象なのだ。

立春の翌日にして大股に
少年がもたれ二月の桜の木
肩口に二月のひかり阿修羅像
東風《こち》吹いて君もオランダミミナグサ
あさっての空から来たか草の芽は

私の早春の俳句を挙げた。立春、二月、東風、草の芽が季語である。それらを通して、私は大自然の力に触れている気がする。四季とは日本語文化圏が育てあげた快い知恵かもしれない。

2 本友・草友・柿友…餡友

たとえば次の詩、声に出して読むととても快い。窓辺で、あるいは公園のベンチで読みたい気がする。

水を渡り　復《ま》た　水を渡る
花を看《み》　還《ま》た　花を看る
春風《しゆんぷう》　江上《こうじよう》の路《みち》
覚えず　君が家に到《いた》る

中国・明《みん》代の詩人、高啓の「胡隠君《こいんくん》を尋ぬ」という詩だ。川をいくつも渡り、途中の花を楽しんだ。春風の吹く川沿いの道はなんともすてき。いつのまにか君の家に着いたよ。以上のような詩だが、私も誰かをこの詩の感じで訪ねてみたい。もっとも、いざ訪ねようとすると、まずは先方の都合を聞かねば、という気になり、高啓の詩のようにのんびり気ままに訪う、という具合にならない。要するにアポがいるのだ。それにたいていの用事はメールやケータイで済んでしまう。

＊＊＊

「朋《とも》あり、遠方より来たる、亦《ま》た楽しからずや」

これは『論語』の一節だが、「朋」（友）は同志というか、共に学んでいる仲間だ。私の場合でいえば、四国や北海道のたとえば俳句仲間がそれに当たるだろう。一度、そのような友をアポなしで訪ねてみたい。

ふと気づいたのだが、近年、アポなしで人を訪ねたことがない。わが家にアポなしで来る人もいない。アポなしで来るのは何かの勧誘の人くらいのものだ。私がアポなしで友を訪ねたら、もしかしたら不審に思われるかもしれない。今や私たちの社会はアポ社会、「覚えず　君が家に到る」なんてことはありえず、到着の日時が先に約束されている。

アポ社会は無駄を省いて効率を高めた社会だが、でも、それは友を減らす社会かもしれない。友だち付き合いとは、一見して無駄なものをたっぷりと持った付き合いだから。つまり、意味もなく二人で橋をいくつも渡る、あるいは、春風に吹かれながら土手の斜面に腰をおろしてとりとめもなくしゃべる。そうしたことが友だち付き合いの豊かさではないか。

＊＊＊

では、正岡子規の友だちのリストを紹介しよう。彼は、正直で学識のある友を第一等の友とする。でも、第一等の友は得難く、多くの友は第二等の友だという。その第二等の友は、学問はそれほどでないが正直で淡白な人。子規は第三の友として、学識はあるが不淡白、利己心が強く、同感の情の薄い者を挙げている。そして、やむを得ざる場合以外はこの第三等の友とは交際しない、と述べている。私も子規の言う第三等の友は欲しくない。

愛友　細井岩氏
良友　武市庫氏
好友　太田躬氏
敬友　竹村鍛氏
益友　三並良氏
旧友　安長知氏
厳友　菊池謙氏
畏友　夏目金氏
文友　柳原正氏
親友　大谷藤氏
酒友　佐々田氏
温友　神谷豊氏
剛友　秋山真氏

賢友　山川信氏
郷友　勝田計氏
亡友　清水遠氏
高友　米山保氏
直友　新海行氏
少友　藤野潔氏

このリストは学生時代のノート「筆まかせ」（一八八九年）にあり、時に子規は二十一歳であった。剛友の秋山真氏は秋山真之、のちに日露戦争で海軍の参謀として参戦する。高友の米山保氏は米山保三郎、子規や夏目漱石がその学力に驚嘆した哲学専攻の学生だ。畏友の夏目金氏は漱石である。

子規にならってこのリストに友だちを当てはめてみたらどうだろう。私として、本好きの本友、道端の草を楽しむ草友、柿を好む柿友、音楽を語る音友、美術家の美友などを追加したい。あっ、あんパン仲間の餡《あん》友も加えたい。

3 窓をあければ

新美南吉《にいみなんきち》といえば「ごん狐《ぎつね》」。童話「ごん狐」は現代日本の小学生がほぼみんな読む。つまり、小学校の国語教科書のすべてに出ているのが「ごん狐」なのだ。

ごんは森に住む独りぼっちの狐で、村へ出ていたずらばかりしていた。畑の芋を掘り散らかしたり、干している唐辛子をむしりとったりしたのだ。人の気を引きたかったのであろう。

ある秋の雨上がりの日、ごんはいたずらをして、漁をしていた兵十の魚を逃がした。兵十に見つかり、「ぬすと狐め」と追いかけられたごんは、大きなうなぎを首に巻きつけたまま逃げた。それから十日くらい後、兵十の家で葬式があった。兵十の母親が亡くなったのだ。ごんは反省した。自分が盗《と》ったうなぎは、病気の母親に食べさせるためのものだったかも、と思ったのだ。

いたずらを後悔したごんは、兵十の家へ栗やまつたけを投げ込んだ。兵十は不思議なことがあるものだ、と思っていたが、ある日、納屋にいた兵十は、わが家にそっと入るごんを見つけた。ごんがまたいたずらをしに来たな、と思った兵十は、家を出ようとするごんを火縄銃でドンと撃った。兵十が駆け寄ると、土間に栗があった。

「ごん、お前だったのか。いつも栗をくれたのは」
ごんは、ぐったりと目をつぶったまま、うなずきました。
兵十は、火縄銃をばたりと、とり落としました。青い煙が、まだ筒口から細く出ていました。

『新美南吉童話集』（岩波文庫）から最後の場面を引いたが、銃の青い煙が印象的だ。

＊＊＊

以上のような「ごん狐」を読んだ子どもたちは、ごんと兵十の行き違う心に関心を寄せるだろう。私としては、至近距離から火縄銃を打つのは、兵十さん、それはちょっとひどいよ、と思わないでもない。それだと確実に的中して相手は死ぬか大けがをする。いたずらに対して発砲で応じたのは度を越してはいないだろうか。

ともあれ、「ごん狐」は一編の長い詩だ。日本語のすぐれた童話は、いわゆる詩なのだ。宮沢賢治の「やまなし」や「銀河鉄道の夜」などはその端的な例だが、南吉の「ごん狐」「手袋を買いに」「おじいさんのランプ」などもやはりすぐれた詩である。私見では清少納言の「枕草子」、松尾芭蕉の「奥の細道」、正岡子規の「飯待つ間」などの随筆、夏目漱石の「夢十夜」、梶井基次郎の「檸檬《れもん》」なども詩の系譜のうちにある。その系譜の作品は、何かを説明する文章ではない。言葉が互いに響きあって言葉の世界を紡ぐのだ。「ごん狐」の最後の場面でいえば、うなずくごん、銃を落とす兵十、筒口を出る煙、の三つの言葉のかたまり、それらが相互に響きあって読者の感情を刺激する。詩の言葉は感情を揺さぶるのだ。小難しい言い方になったが、日本語には長い詩の伝統が脈々と続いている。

要するに、南吉は詩人なのである。童話というかたちで詩を書いたのだが、短い詩にもすてきなものが多い。

＊＊＊

「輪まわし／まわして／ゆく道に／椿の花が落ちてゐる。」これは「輪まわし」という詩の第一連だ。板塀や電柱のそばを輪を回して行き、土手に出て休む。

輪まわし
やすんだ
草どてに

　すかんぽ食べてる牛がゐる。

輪まわしという遊びは江戸時代から行われていた。二またに分かれた棒の先で桶や樽《たる》などの古いたがを転がして遊んだ。少年時代の私は自転車のリムを転がして遊んだが、輪まわしで遊んだ最後が昭和の子どもたちかもしれない。

　では、『新美南吉詩集』（ハルキ文庫）からもう一編、「窓」という詩を引く。「窓をあければ／風がくる、風がくる。／光った風がふいてくる。」と始まるこの詩は、次のように展開する。

　　窓をあければ

ころがくる、ころがくる。
遠い子どものころがくる。
今、私も窓を思いっきり開けたくなっている。

4 一家に一冊、俳句歳時記

重い本がある。中身の話でなく、重量のことだ。

厚めのアート紙を用いた画集などは重い本の代表だが、私の持っている本では角川書店から出た『ふるさと大歳時記』（全八巻）がことに重い。その第七巻『九州・沖縄ふるさと大歳時記』は約六百ページ、重量は……。あっ、量れない。部屋に置いてある郵便物用の秤《はかり》は二キロまでしか量れないが、軽く二キロを超す。

それで、体重計に載せたら二キロ二百グラムだった。この本には箱がついていたが、その箱を捨ててこの重さである。

こんな本になると、持ち運びが大変だ。この本は一階の書棚に入れているが、使うときは一冊、あるいは二冊を抱えて二階の部屋へ運ぶ。途中で、たとえば足に落としでもしたら骨が折れるだろう。ちなみに、この本は一冊の値段が税込み一万六千円だったが、さっき、インターネットで古書価格を調べたら、なんと九百円であった。大暴落（？）だ。

＊＊＊

『九州・沖縄ふるさと大歳時記』は一九九一年に出た。私も執筆者として協力したのだが、当時はこのようなどっしりした本が好まれた。応接間の棚などに燦《さん》然《ぜん》と飾られたのである。こういう本が敬遠されるようになったのは、軽くてスマートなものを好む時代になったから。阪神・淡路大震災の際に本が凶器になったこと、インターネットの情報が手軽に利用できるようになったことなども、重い本を敬遠させる要因だろう。もちろん、『ふるさと大歳時記』の中身は今なお貴重、たくさんの写真も史料価値が高い。だが、なにしろ重くて大きい。この本は時代遅れになったのだ。

若夏《わかなつ》の満月を上げ椰子《やし》の闇　小熊一人

グラバー邸海をはるかに薔薇《ばら》旺《さか》ん　石野まさ子

焼酎に胸ん拡《ひろ》げてたもうせや　井桁白陶

「若夏」「薔薇」「焼酎」の季語から一句を引いた。若夏は沖縄の初夏を指す語。さわやかな感じが際立つ。グラバー邸の薔薇はいかにも長崎、眼下の海が青いだろう。焼酎の句の「胸ん拡げてたもうせや」は鹿児島弁で胸襟を開いてください、つまり、どうぞくつろいでくださいという意味だろう。いいなあ、この鹿児島弁。なんだか焼酎をロックで飲みたい気分になる。

というわけで、私は最近、時代遅れの『ふるさと大歳時記』を楽しんでいる。旧知と胸襟を開く感じでページをめくっている。

九州に入りて五月のジャボンかな　正岡子規

夏立つや阿蘇噴煙の限りなし　杉本寛

薫風や壱岐も対馬も波の上　小川小蝶

子規の句の「ジャボン」はザボンである。五月の九州に咲くザボンの花を子規は想像した。実際の子規は九州に行ったことがない。その子規にならって、私は若葉に包まれた阿蘇や熊本、そして真っ青な波の上の壱岐や対馬を想像している。

その想像、一種の一人遊びだが、とりとめがなくなって、いつのまにか時間をすっかり忘れている。

＊＊＊

ところで、俳句歳時記には種類が多い。文庫判の軽い手軽なものから、大判のものまでさまざま。実は私にも『季語集』（岩波新書）という読み物風歳時記がある。その本では、新しい季語をいくつか提案してもいる。たとえば「球春」「ブルーヘイズ」「赤い河馬《かば》」など。「球春」はセンバツ高校野球やプロ野球のキャンプなどが行われる時期を指す。最近、新聞のスポーツ面でよく見るようになった。「ブルーヘイズ」は青葉のころの青く見える靄《もや》。「赤い河馬」は真夏のカバである。カバは暑い時期、赤い分泌物によって皮膚を守る。つまり、夏のカバは赤く見えるのだ。

ちょっと横道にそれかけたが、俳句を作らなくても、俳句歳時記は結構おもしろい。読むだけで楽しい。私は講演会などで、一家に一冊どうぞ、と勧めている。

5 赤胴鈴之助とががんぼ

赤胴鈴之助が好きだった。彼の得意わざは真空斬り、私もまねをして剣を揮った。私が手にしたのは棒切れだが、そのころ、その赤胴鈴之助や宮本武蔵、塚原卜伝《ぼくでん》などの剣客のまねをよくした。

「落葉また落葉赤胴鈴之助」。後年、私はこのような俳句を詠んでいる。舞い散る落葉を相手に真空斬りの技を磨いている鈴之助を想像したのだが、句の出来はたいしたことがない。凡作である。

私は『少年画報』という漫画雑誌で赤胴鈴之助を読んだ。ラジオドラマでも赤胴鈴之助に胸を熱くした。今から六十年くらいも昔のこと、そのころ私は四国の佐田岬半島の小学生だった。もし近所に剣の道場があったら、私はいそいそと通っただろう。少年剣士・赤胴鈴之助は私のあこがれだった。

文四郎は、誰もいない道場にただ一人居残って、稽古用の木剣を揮《ふる》っていた。

八双《はっそう》に構える。打ちこんで来る敵を想定していた。仮想の敵は文四郎の左肩、左拳《ひだりこぶし》を狙ってきびしく打ち込んで来る。わずかに足を送ってかわしたつぎの瞬間には、文四郎は腰から踏みこんでいた。

「えーい」

木剣はうなりを生じて、敵の頭蓋《ずがい》を打ち据えた。

引用したのは藤沢周平の小説『蟬《せみ》しぐれ』の一節。久しぶりに読み直して、たとえば右のような場面で胸を熱くした。

＊　＊　＊

古い時代を題材にした小説を時代小説と呼ぶが、時代小説は通俗小説とみなされてやや蔑視されているかも。明治以降の近代小説は、江戸時代に流行《はや》った「南総里見八犬伝」（滝沢馬琴）を否定するかたちで始まった。「八犬伝」では犬が人間の姫と結婚して八人の犬（剣）士を生む。このような現実にはとうていありえないことが荒唐無稽として否定されたのだ。八犬士は悪と戦うが、それもパターン通りの勧善懲悪小説として退けられた。その結果、近代の小説の人物は、読者と等身大のどこにでもいる人物になった。

だが、荒唐無稽さがなくなると、はらはらどきどきする感じが乏しくなる。退屈な小説になるのだ。いわゆる純文学と呼ばれたものが概してその退屈な小説にあたる。だが、近代の小説が否定した荒唐無稽なものは、時代小説、映画、マンガなどで一貫して重んじられたのではないか。

かつて私は中里介山の『大菩薩峠』を夢中になって読んだ。二十代後半のころで、当時、自分が何をすべきかを模索していた。そんな日々、机竜之助の暗い情念がなぜか心を揺すった。

その小説は竜之助が大菩薩峠に立ったときから始まる。彼が峠に立つと、青嵐が吹きわたり、「谷から峰へ吹き上げるうら葉が、海の浪《なみ》がしらを見るようにさわ立つ」。歳《とし》は三十前後、細面で色白、痩身である。竜之助は通りかかった巡礼の老爺《ろうや》に「あっちへ向け」と命じると、ぱっと太刀を揮《はら》う。老人の胴体は二つになって青草に転がった。長編小説『大菩薩峠』の始まりだ。この小説、四十一巻に及ぶが、作者の死で未完に終わっている。
竜之助は音なしの構えという秘剣を身につけている。『蟬しぐれ』の文四郎は村雨《むらさめ》という秘剣を授かっている。いずれも秘剣だから、神秘、すなわち荒唐無稽に属する技である。こういう剣の技において、彼らは人知を超えた超人間だ。超人間だからこそできることがあって、その超人間のふるまいが私たちを刺激する。ゲゲゲの鬼太郎とか鉄腕アトム、あるいはドラえもんだって同様だ。

＊＊＊

では、私の荒唐無稽な一句をどうぞ。

ががんぼと兄弟なのだオレたちは

ががんぼ（大蚊）は文字通り大きな蚊に見えるが、でも吸血しない。触ると長い脚がすぐもげる。なんともはかない。いつからか私はそのがんぼと兄弟気分になっている。

6 軽井沢気分で朝ご飯

朝ご飯を六時半ごろに食べるが、基本はパンと牛乳、パンは私が焼く。と書くと、本格的にパンを焼いているように思われるだろうが、実はトースターに食パンを入れてスイッチを押すだけ。それが私の毎朝の仕事だ。パンにはハチミツ、マーマレード、各種のジャムをその日の気分で塗る。日によって、タマゴ、チーズがつく。これはヒヤマさんの裁量だ。ほとんど毎日何かの果物を食べる。ビワ、イチジク、ブドウなど。

時々、朝ご飯が軽井沢になる。猫の額ほどの庭に白いテーブルと二脚のやはり白い椅子を置いている。ヒヤマさんがニトリで買ってきた。朝、このテーブルに朝食や新聞を運び、二人で軽井沢気分になるのだ。垣根の外の街路樹（ケヤキ）の枝がそよぎ、まるで軽井沢の森に来ているみたい（もっとも、実際の軽井沢には一度行ったきり。ホテルに二泊して避暑気分をほんの少し味わった）。

＊＊＊

この軽井沢的朝食の話、恥ずかしいから外ではしないでね、とヒヤマさんに言われていた。ヒヤマさんは私の同居者、戸籍でいえば妻だが、俳句を作るのでヒヤマと名乗っている。私はいつからか彼女を俳号のヒヤマで呼ぶようになった。わが家に来た人が、私のヒヤマという言い方を気にして、ねんてんさん、あの方、どんな関係ですか、と問うことがある。同居者とかパートナーとか答えるが、相手は分かったような分からないような複雑な表情になる。それが楽しい。

ともあれ、ヒヤマさんの要望を無視して、私は軽井沢的朝食の話を文章にした。それは「軽井沢タイム」という題で、私のエッセー集『ヒマ道楽』（岩波書店）に入っている。先日、二十数名が集まってその本の読書会をしてくれたが、一番人気だったのがなんと「軽井沢タイム」の話だった。

＊　＊　＊

ヒヤマさんと私の軽井沢タイムでは、実は新聞や本を音読する。自分の好きなくだりを互いに読み合うのだ。次は私が読んだ

島崎藤村『夜明け前』の一節である。

酒のさかな。胡瓜《きゅうり》もみに青紫蘇《あおじそ》。枝豆。到来物の畳みいわし。それに茄子《なす》の新漬《しんづけ》。飯の時にとろろ汁。すべてお玉の手料理の物で、金兵衛は夕飯に吉左衛門を招いた。

「木曽路はすべて山の中である」と始まる小説『夜明け前』は、幕末から明治へと激変する時代を描いている。中山道の宿場・馬籠《まごめ》の本陣の当主が吉左衛門、金兵衛は彼の年来の友人で宿場の年寄役、すなわち村の長老だ。

うまそうね。わが家も今夕は同じ献立にする？　でも、畳みいわしはないわ。鯵《あじ》の一夜干しに代役をさせようか、とヒヤマさん。

うん、いいなあ、じゃ、もう一カ所読もう。吉左衛門の息子、半蔵が、嫁の兄にあたる妻籠宿《つまごじゅく》の本陣の主人、寿平次と飲む場面だ。吉左衛門たちは五十代後半だったが、ここの半蔵たちはまだ三十代に入ったばかりだよ。

酒のさかなには、冷豆腐《ひややっこ》、薬味、摺《す》り生姜《しょうが》に青紫蘇、それに胡瓜もみ、茄子の新漬ぐらいのところで、半蔵と寿平次とは涼しい風の来る店座敷の軒近いところに、めいめいの膳を控えた。

こっちもいいね、とヒヤマさん。これだとすべての材料が冷蔵庫にあるよ、お豆腐ももちろんあるわ。それにしても親も子も簡素でいいわ。木曽路の食事は老人向きかもね。

ヒヤマさん、いつになくよくしゃべる。『夜明け前』のメニューが気に入ったらしい。朝の木漏れ日がきらきらする。

7 与謝野晶子と気まぐれの力

私は気まぐれである。たとえばドライブの際、道ばたの看板を目にして急にそこへ行こうとする。私は車の運転ができないので（無免許）、ヒヤマさん（妻）の車に乗せてもらってドライブするのだが、ときどき、私の気まぐれが元で喧嘩《けんか》になる。

「急に右と言っても曲がれないよ。早く言ってよ、早く。そんなところ、行く予定になかったんじゃない」「ごめん。気づくのが遅かった。でも、あそこ、おもしろそ

うだよ。引き返して行こうよ」「急には引き返せないのよ。Uターンできる場所を見つけて！」「あっ、そこそこ！」「遅いわよ。すぐには止まれないよ。後ろから来ている車があるし」

こんな調子なのだ。で、うまくそこへ到着して、目的の画廊のそばに車を止め、ふと見るとそばにカフェがある。「じゃ、まずここへ入って一杯」と言ってしまう。「えっ？ 今からコーヒーを飲んだら、画廊は終わるよ。閉館まで三十分しかないよ。さきに画廊へ入って、それからコーヒーにしたら」「いや、コーヒーを飲もうよ。ここ、うまそうだよ」

ヒヤマさんは文句を言いながらもついてくる。結局、コーヒーを飲んでいる間に画廊は閉まった。でも、コーヒーとその店にあったイチジクのタルトはうまかった。

ああ、弟よ、君を泣く、

君死にたまふことなかれ。
末に生れし君なれば
親のなさけは勝りしも、
親は刃《やいば》をにぎらせて
人を殺せと教へしや、
人を殺して死ねよとて
廿四《にじゆうし》までを育てしや。

（『定本　与謝野晶子全集』第九巻、講談社）

突然に与謝野晶子の詩「君死にたまふことなかれ」の第一連を引いた。気まぐれな引用と見えるだろうが、実はそうでもない。気まぐれを発揮した第一人者、それを私は与謝野晶子と見なしている。晶子は気まぐれの人だった。

＊　＊　＊

「その子二十櫛にながるる黒髪のおごりの春のうつくしきかな」は歌集『みだれ髪』（一九〇一年）の有名な歌だが、この歌だって晶子は気まぐれで詠んだのではないか。大阪・堺の菓子屋の娘だった晶子が、歌の師を慕って家出して上京したのも気まぐれだった。五男六女を産み育てたのも、大量の歌を詠んだのも、そして『源氏物語』などの古典を現代語訳したのも、気まぐれに発した結果かもしれない。いや、それらはたしかに気まぐれに始まったのだ。

晶子に「明るみへ」（一九一三年）という小説がある。主人公（晶子）とその夫（与謝野寛）や仲間を描いた自伝的な小説だが、その中で主人公は、折々に気まぐれでしたことが「私の新しい力」になったと語っている。世間的には気まぐれは悪い意味で使われることが多いが、それは世間が誤解しているのであって、気まぐればかりで押し通す方が、真実に人間の力が生きているのではないか、と主人公は考える。

何かを気まぐれでしてしまうと、そのしたことに責任を負う。問題が生じれば解決しなくてはならない。つまり、気まぐれが自分を新しいところへ連れ出すのだ。その気まぐれの力を「明るみへ」の主人公は「螺旋《ぜんまい》であって同時に車」と呼んだ。

＊＊＊

いいなあ、この考え。そういえば、私の知っている創造的な人、あるいは生産的で刺激的な人は、たいていが気まぐれである。意外なことをぱっと思いつき、すぐに実行してしまう。そういう人にとって気まぐれは、まさに自分や事態を強くはじくゼンマイ、そして、前に動かす車なのだろう。

では、気まぐれを発揮するにはどうすればいいのか。私の場合、自分は気まぐれだ、と自分自身に言い聞かせている。一種のまじないをかけて晶子の真似《まね》をしているのだ。そうすることで、心身のこわばりがほぐれ、いくらかフリーハンドの感じになる。というようなことをヒヤマさんに話したら、はた迷惑な理屈だこと、とつぶやいて急にアクセルを踏んだ。

8 老人は甘いか蟻がすでに来た

与謝野晶子の自伝的な小説「明るみへ」にアリ（蟻）が登場する。正確にいえば、失意の夫を描いた場面があり、そこにアリが出るのだ。

これという仕事のない夫は、この四、五日ばかり、午後になると庭のダリアの根元から出てくるアリを錆《さ》びた包丁で叩《たた》いていた。晶子（小説では京子）の方は売れっ子で書斎にこもってせっせと原稿を書いていたが、一時間くらいして書斎を出ると、夫はまだダリアの根元にかがんでいる。

「あなた、また蟻なんですか」

晶子が言うと、「憎いからね」と夫が応じる。夫は、面白いと言わず、憎いと言うのだが、晶子にはそれが気になる。まだ四十歳にもなっていないのに、これでは夫は狂ってしまうのではないか、と恐れる。それで、かねてから夫の希望していたフランスへの留学を実現させたい、と晶子は思い、知人に留学費の工面を依頼し、自分でも色紙などをせっせと書いて販売する。

＊＊＊

それにしても一時間も炎天の庭で、こんちくしょう、こんちくしょうとアリを叩いている夫はたいしたものだ。何匹のアリを叩き殺したのだろうか。彼は実に率直に自分のみじめさをさらしている。

というように思って、三十代半ばだった私は、晶子も偉いがアリを叩く夫も偉い、と感動した。当時、友人の経営する小さな出版社を手伝っていた私は、与謝野鉄幹の全集を計画し、東京にいた鉄幹・晶子の遺族を訪ね、出版の了承を得たのだった。だが、出版社がうまくいかなくなり、また、鉄幹のものは売れないという事情もあって、計画は頓挫《とんざ》してしまった。

余談に及んだが、以上のようなわけで晶子も好きだが鉄幹（中年になってから寛《ひろし》という本名で活動した）も私は好きだ。

＊＊＊

さて、アリだが、今年（二〇一七年）はヒアリがニュースになり、ドラッグストアなどに行くとアリ用の殺虫剤が山積みになっている。よく売れているらしい。先年はデング熱を媒介するカ（蚊）が話題になり、公園などで大掛かりな駆除が行われた。今やアリもカも撲滅されかねない雰囲気である。

眠いなあ蟻と六十八歳と
蟻が来ている六十八歳のベッド
老人は甘いか蟻がすでに来た
老人は死体か蟻がすでに来た

右は私の句集『ヤツとオレ』（角川書店）にある。六十八歳のある朝、ベッドの枕にアリが来ていた。カミさんは、「甘いものを食べて歯もちゃんと磨かないであなたは寝る。だからよだれにアリが来たんじゃない？」と笑った。たしかにそうかもしれないが、自分としてはアリをとても身近に感じた。撃退するよりも親友になろうと思ったのだった。

蟻は蟻のうしろ姿を見て一列　鳥居真里子
悩ましきものの一つに蟻の腰　樫井賢一
蟻が蟻を運んだり月曜の午後　三好万美
友情は膝の上だよ蟻たちよ　山岡和子

私の俳句仲間の句を挙げた。アリは嫌われていない。いや、愛されている。悩ましいアリの腰つきを虫眼鏡で見たいし、膝のうえでアリと結ぶ友情に拍手をしたい。

アリ

アリは
あんまり　小さいので
からだは　ないように見える

いのちだけが　はだかで
きらきらと
はたらいているように見える

ほんの　そっとでも
さわったら
火花が　とびちりそうに…

『まど・みちお詩集』（岩波文庫）から引いた。最後の…はアリ？

9 老人と子どもと

老人の小林一茶（一七六三年〜一八二七年）はただ者でない。彼の句をまず引こう。

くやしくも熟柿《じゅくし》仲間の座につきぬ
初雪を煮て喰《くら》ひけり隠居たち
春の日や雨見て居ても暮らさるる

熟柿仲間とは言い得て妙ではないか。もちろん、歯がなくなって堅い柿が食べられなくなった老人仲間、それが熟柿仲間だ。

一茶は四十九歳で最後の歯を失っている。歯をなくした翌年、故郷に永住することを決意して今の長野県信濃町柏原《かしわばら》へ帰った。そのころから一茶の老人時代が始まった、と見てよいだろう。

＊＊＊

さて、この熟柿仲間はしたたかであった。寄り集まって初雪を煮ているのだから。第一、雪を煮るという発想がとんでもない。雪、とくに初雪はめでたいもの（吉兆）とされており、眺めるものであって、煮るものではなかった。この句の隠居たちは煮たらいっそうありがたみが増す、と考えたのであろう。いや、実際は、初雪を煮るかっこうをして酒を温めたのかもしれない。酔った、酔った、なんとまあ初雪はありがたいこと、と打ち騒ぐ老人たちの声が聞こえてきそうだ。

次の「春の日や」もすごい老人ぶりだ。春雨を一日見る、それだけで満足して一日が過ごせる、というのだが、私などはまだその境地に至らない。途中でテレビを見たり知人に電話したりするだろう。

実は、老人になった俳人一茶は、百姓弥太郎でもあった。財産を半分に分ける、という父の遺言にそって、江戸を引き払って柏原に帰省した一茶は、粘り強い交渉が実を結び、田畑、山林、家屋敷を手にいれて、柏原の百姓弥太郎になったのである。

小林家の長男だった弥太郎は、十五歳の春、江戸に出た。継母との折り合いが悪く、それで父親が江戸へ出した、ということになっている。江戸に出た弥太郎はいろんな仕事をしながら次第に俳句に深く関わるようになる。三十歳から数年間、京、大坂（阪）、四国、九州に旅をし、各地の俳人たちと交流した。俳人一茶は全国的にその名を知られるようになっていた。

一八〇一年、三十九歳になった一茶は、帰郷して病気の父を看護した。その際、財産の半分を与える、という父の遺言を手にした。以来、弟を相手にした交渉が続く。一茶が帰省して柏原に住み始めたのは、冒頭で触れたように五十歳のときだった。翌年、遺産交渉が決着し、家屋敷を二分して彼は百姓弥太郎になった。

もっとも、彼は百姓をちゃんとしたことなどはなく、田畑は小作に出し、小作料と俳人としての収入で生計を立てた。

＊　＊　＊

最近、高橋敏の『一茶の相続争い——北国街道柏原宿訴訟始末』（岩波新書）という本が出た。柏原に残る古文書から一茶の遺産交渉の過程を探ったものだが、骨肉の争いとはこういうものなのか、とその熾烈《しれつ》さに驚く。同時に、一茶の執拗《しつよう》で合理的な姿勢に、彼の強い生への意欲を感じる。実際、彼は五十二歳で初めて結婚し、何人かの子をもうけるが皆死んでしまう。妻も死に、彼はさらに二人の女性と結婚する。ほとんどよぼよぼ、三度目の結婚をしたとき

は、脳卒中で言語障害を起こしており、歩くのもままならなかった。でも、三十歳以上も年下の妻を迎え、彼の死後に妻は出産した。ただ者でないのだ、一茶は。

子どもらが団十郎する団扇《うちわ》かな

雪とけて村いっぱいの子どもかな

わらんべは眼鏡にしたる氷かな

一茶はただ者でない、と私が思う理由は、実は右のような子どもを詠んだ句にもある。したたかな老人を詠みながら、一方で彼は、のびのびした子どもたちをとらえていた。一茶には子どもを詠んだ句がずいぶん多い。

「わらんべは」の句は六十歳の作だが、氷を眼鏡がわりにして遊ぶ子どもが生き生きとしている。六十歳の一茶の中にこのような子どもが生きていたのか。したたかな老人は子どもと通じている。

10 心の置けない友

なぞなぞから始めよう。

目の上に鈴のピアスをつけている小鳥はなに？

瞬間的に分かった人と、しばらく考えた人とがいた気がする。答えは雀（スズメ）。メの上にスズ（鈴）がある。

さて、雀と言えば、

我と来て遊べや親のない雀　小林一茶

を連想する人が多いに違いない。一茶は親（母）のいないさびしさを雀を相手にしてまぎらわせた。もっとも、それは一茶が自ら作った伝説かもしれない。この句は、『おらが春』という一茶の作品集には「六才　弥太郎」とあり、六歳の折に詠んだことになっている。一茶は別の折にはこの句の前書きに「八才の時」とも書いている。要するに、大人になった一茶が自分の幼児期の作として宣伝したのがこの句であろう。一茶の時代は数え年が通用していたから、六歳は今の五歳、幼稚園児の年齢だが、幼稚園の子が「我と来て遊べや親のない雀」と詠んだとしたら、なんだか気持ちが悪いのではないか。雀を追っかけたり、捕らえようとして石を投げたりするのだったら分かるが。

＊　＊　＊

それはともかく、一茶が雀好きだったことは確かのようだ。雀の子を詠んだ句が約百句も残っている。

大仏の鼻で鳴くなり雀の子
雀らも親子連れにて善光寺
雀の子そこのけそこのけ御馬が通る
門雀兄弟喧嘩始めけり

ひよ子から気が強いなり江戸雀

「門雀」は門口の巣で育った雀、「江戸雀」は都会の江戸市中の雀だ。各地の雀を詠んだこれらの句から、私は小野十三郎《とおざぶろう》の詩「雀」を連想した。詩集『垂直旅行』（一九七〇年）にある次のような詩だ。

雀

大牟田の空に　1
北九州八幡地区に　5
夜明けの電線にとまっている雀
山陽道は
広島と岩国に　1
飾磨の空に　1
神戸　2
夜明けの電線にとまっている雀

大阪の空にはいるね　13
大和　0
京都の上空　2

以下、北へとさかのぼって各地の雀を数えて行く。東京は6、常磐線の平《たいら》（現在のいわき）の空に1、網走の空に1という具合に。途中に「おまえたちは、いま、おれの何だ」という一行があるが、各地のこの雀は、さて、何だろう。同志とか親友？　私は心の置けない友としてこの十三郎の詩の雀を愛している。

＊　＊　＊

子どものころ、雀の声で目覚めた記憶があるが、今、わが家の周辺では雀をあまり見かけない。いや、わが家のあたりだけでなく、全国的に雀が減っているらしい。雀の研究者の三上修さんの本『スズメの謎』（二〇一二年）によると、この二十年間に半減したという。

雀は人といっしょに生息する小鳥だ。人のいない山中などにはいない。日本は地域によっては人口が急減、人のいない集落などが増えているが、すると、雀もおのずと減るのであろう。人と雀は運命を共にしているのかもしれない。

そういえば、雀は我、我は雀だ、と北原白秋は述べている。彼は不遇だった一時期、雀を相手にして過ごし、その記録というか雀への思いを一冊の本『雀の生活』（一九二〇年）にまとめた。雀と一体化した白秋は、「人間も寂しい、雀も寂しい、雀を思ふと涙がながれます」とまで言って

いる。

さて、急減した雀だが、わが家の近所にいつでも雀のいる場所がある。パン屋のテラスだ。テラスにこぼれたパン屑を求めて雀たちが集まる。椅子に腰をおろしていると、雀たちはすぐそばまでやってきて、パンを食べる私を見あげる。その首をかしげたようすがかわいいので、ついついパンをちぎってわざとこぼす。

11 押し合いへしあい歳末の風景

ふと思いついて、変化したというか、大きく変わったことを並べてみた。

（1）子どもが鼻水を垂らさなくなった。

（2）ノミ、シラミ、ハエなどがいなくなった。

（3）火の用心が来なくなった。
（4）トイレが水洗に変わった。
（5）歳末が静かになった。
（6）正月がにぎやかになった。
（7）ファミリーレストラン、コンビニができた。
（8）スマホやメールの時代になった。
（9）町や駅、電車の中などが明るくきれいになった。
（10）スポーツがさかんになった。
以上、思いつくままに挙げた。七十数年を生きてきた私の実感である。

＊＊＊

まず（1）だが、太平洋戦争の敗戦直後は、冬にはどの子も青バナをたらしていた。青いねばねばの鼻汁だ。それを学生服の袖でふくものだから、服の袖口が銀色に光っていた。

　この家の子か水洟《みずはな》の立派なる　　宇多喜代子

　この句の「水洟」が青バナ。大きな家の子が立派な青バナを二本垂らしている。「立派なる（立派だなあ）」という見方がおかしい。

　そのころは、ノミ、シラミ、ナンキンムシ、ハエなどがわんさといた。たとえば食事のとき、たかってくるハエを追いながら食べるというのはごく普通のことだった。

　冬は火の用心がやってきた。子どもたちや青年団、自治会の人などが「火の用心！　マッチ一本火事の元」などと拍子木をたたきながら触れ歩いた。その時代、マッチでかまどをたきつけていた。ご飯は火で炊くものだった。風呂も火で沸かした。冬、風呂のたき口で火の番をしながら私などはマンガに読みふけった。赤胴鈴之助などを。『レ・ミゼラブル』や『アンクルトムの小屋』なども風呂のたき口で読んだのだった。ところが、火はガスや電気に代わり、マッチも姿を消した。火の番などという子どもの仕事はなくなった。

トイレが水洗になったのも大きな変化だ。今は尻を洗浄し乾かしてもくれる時代になったが、先にあげた十箇条の変化の基調は、清潔と明るさかも。人も場所も清潔で明るくなったのだ。

＊＊＊

この調子で書き連ねると、老人のとりとめのない回顧談になってしまいそうだ。実は、今回の話題は歳末歳旦の風景である。

押合《おしあい》を見物するや年の市　曽良

水仙の香も押し合ふや年の市　千代女

季語の「年の市」とは正月用品の大売り出しだ。わが家が子育ての真っ最中だった一九七〇年代は、まさにその年の市の時代だった。十二月も半ばになると、掃除や買い物でがぜん忙しくなる。掃除はいわゆる大掃除で、どの家も畳を日に干した。歳末のよく晴れた日の夕方が近づくと、あちこちで干した畳をたたいてほこりを払う音が響いた。正月用品の買い出しは必死だった。曽良や千代女の句は江戸時代の風景だが、昭和の市場や商店街も買い出しの人々で押し合いへしあいだった。当時は正月三が日はほとんどの店が休みになった。それで、正月の間の食料品などを年内に調達しなくてはならなかったのだ。

その「年の市」の風景が消え去り、今では歳末は静かな時期になっている。クリスマスのにぎわいが終わった後のほっとした時期が歳末かも。かつて私は、

十二月どうするどうする甘納豆

という句を詠んだが、この句の背景にあったのはあわただしい歳末風景だった。

さて、歳末は静かになったが、逆に正月三が日などはにぎやかになっている。かつては三が日は家にこもっていたもの、ことに元日には外に出なかった。家に正月の神さまがきているのでその接待をしていたのだ。門松を立て注連《しめ》を飾るのは、家に正月の神が来ているというしるしだった。でも、今ではもう昔のこと、人々は元日から初詣などに出かけている。歳末歳旦の風景は一変した。

12 犬はビョウビョウと鳴いた

今年（二〇一八年）は戌《いぬ》年。

ガスターという人の『ルーマニア鳥獣譚《たん》』によると、ルーマニア人は犬の寿命を二十年と見ていたらしい。どうして二十年か。

神が世界を創ったとき、神は動物を集めてその寿命と暮らし方を定めた。まず人間を呼び、直立する能力や言葉を与え、この世の王と決め、三十年の寿命を与えた。でも、人間は喜ばず、いくら威勢よく楽しく暮らしても三十年ではつまらない、と不平をもらした。

神は次にロバを呼び、重い荷を背負ってお前は五十年間苦労しなければならない、と言った。すると、ロバはどうか二十年だけ差し引いてください、と懇願した。その時、強欲な人間がしゃしゃり出て、その二十年を自分にください、とお願いした。で、人間の寿命が五十年になった。

次に犬を呼んだ神は、お前は人間の家と財産を守れ、と命じ、その骨折り賃として食料に骨を、そして寿命四十年を与える、と言った。犬は骨ばかり食べて四十年はきつい、半分にしてください、と願ったが、人間がまたしゃしゃり出て、その二十年をもらった。

最後に神は猿を呼び、六十年の寿命を与えたが、猿もまた固辞して、半分にしてください、と願った。その時、人間が出て来て三十年を譲り受けた。こうして人間の寿命は百歳になった。

＊　＊　＊

最初の三十年、人間は楽しく遊び暮らす。神からもらった寿命は楽しいのだ。三十歳から五十歳までは苦労を重ねて働き財産を蓄えるが、もちろんロバの時間を生きるのだ。やがて、五十を過ぎると犬の時間、こんどは財産を守るために汲々《きゆうきゆう》とする。人間の最後の三十年は猿からもらった時間だ。背はかがみ、顔つきも変わり、子どもめいた言動を笑われる。つまり、猿のように人間は生きる。

以上の話、南方熊楠《みなかたくまぐす》の「犬に関する民俗と伝説」（『十二支考』）に出ている。犬の寿命から話題が脱線して、他の動物に及んでいるが、この博覧強記の脱線ぶりがいかにも熊楠である。

熊楠は慶応三（一八六七）年に和歌山市に生まれ、昭和十六（一九四一）年に和歌山県田辺市の自宅で他界した。七十四歳だった。猿の年齢に達して間もなく亡くなったのだ。

彼は二十代でアメリカ、イギリスにわたり、ロンドンの大英博物館に勤務、当時の生物学や考古学、宗教学などの世界的先端の課題に触れた。三十三歳で帰国した熊楠は、和歌山県田辺において、粘菌などの生物研究や民俗学の研究に没頭する。生家が酒屋で豊かだったということもあり、彼はほとんど働いていない。つまり、ロバの寿命のなかった稀有《けう》の人だ。

私は熊楠を正岡子規や夏目漱石の同級生として知った。この三人の中で、働くことにもっとも苦労したのは漱石だろう。子規は新聞記者だったが、仕事と文学が共存していた。熊楠はというと、これはもう研究三昧、なんとも羨《うらや》ましいばかり。

熊楠を研究する人は、現代の知の限界を超えた豊穣な世界を先取りしている、などと熊楠を見ているが、熊楠の研究の意義が私には分からない。ただ、子規や漱石と並べたとき、破天荒に脱線できる熊楠がとても魅力的なのである。

＊＊＊

さて、『十二支考』は熊楠の代表作、岩波文庫や東洋文庫（平凡社）などで読むことができるが、さきの「犬に関する民俗と伝説」で、江戸時代の初めごろ、犬はビョウビョウウと鳴いた、と熊楠は言う。「英語

でバウワウ、仏語でブーブー」と鳴くので、ビョウビョウという鳴き声は「英語や仏語に近い」と熊楠。江戸時代初め、犬は英語的、仏語的だったと思うとなんだかおかしい。

右の犬の話は『犬子集《えのこ》』という俳諧の本に拠った見解だが、彼は読んだ本や論文の抜き書きを大量に作っており、その抜き書きを基にして話題を次々に脱線させた。その脱線、ときにくどいばかり。これでもか、これでもか、と脱線が続く。そしてその脱線ぶりは彼の人生そのものだった。

数年前、田辺市の南方熊楠顕彰館を俳句仲間と訪ねた。その際、私は次の句を詠んで熊楠に敬意を捧《ささ》げた。

熊楠はすてきにくどい雲は秋

13 老人たちは元気づく

読書会を意識的に行っている。老人による老人たちの読書会だ。

読書会とは、本をなん人かで読み合うことだが、この読書法は学生時代から私の読書の基本であった。大学生時代は夏目漱石やマルクス、あるいは言語論の本などをみんなで読んだ。

正岡子規の俳句もM君と二人で読んだ。子規の二万を超す俳句は友人といっしょに読んだから最後まで読み通せた。もし一人で読もうとしたら、途中で退屈して投げ出していただろう。

そうなのだ、読書会は気分を前向きにさせる。相手がいるから、ともかく読もう、という気になる。私見では今や（つまり、老人にとって）これが読書会の魅力だ。

年齢が高くなると、読書がうっとうしくなる。いや、若者だってあまり読まない。その証拠に電車に乗って見渡すと、ほとんどはスマホをのぞいている。本を読んでいる人は希少人種という感じ。ちなみに、先日、東京の地下鉄の午前十時ごろの車内を見渡したら、一車両に六人の読書派がいた。大阪だと皆無か、せいぜい一、二名。東京は人口が格段に多いということもあるが、大阪住まいの私は、文化的な底力の差を感じてしゅんとした。

＊＊＊

一人での読書はそれなりに意味がある。どこででも、どんな時間でも読むことができる。だが、ときどきは他者と共に読みたい。他者と読むと、自分の殻を破って外に出て行く気がする。たとえば、子規たちは蕪村句集の輪講をした。順番に読み、読んだ人が報告をする。その報告を基に参加者が議論して読みを深める。それが漢学の読書法だった輪講だが、この輪講、自己を他者へと開く読書法だ。

うぐひすや家内揃ふて飯時分　蕪村

子規たちの輪講の記録は『蕪村句集講義』として本になっている（東洋文庫ほか）。右の句について、子規が「飯時分」とはいつか、朝か昼か晩かと問うと、高浜虚子が、昼飯だろう、昼飯はことに平和な感じがする、と応じている。すると、子規は、「家内揃ふて」というのは朝飯ではないか、皆が揃うのだから、あまり早朝ではない、日が少しは昇ったくらいの時分、しかも、大勢いるのがこの句の眼目だ、と言う。こうしてその場にいる人たちが次々に自分の読みを示す。蕪村の句の平和な感じを昼飯時分として読んだ虚子は、子規の読み方によって、読みを変えたに違いない。他者の読みが自分の読みを刺激し、時には自分の読みを大きく変えるのだ。それは自分を他者へと開くことである。

私は早くから子規たちの輪講をまねしていて、江戸時代の俳句を輪講で読んできた。その結果の一端は『来山《らいざん》百句』（和泉書院）、『鬼貫《おにつら》百句』（創風社出版）という本になっている。

＊　＊　＊

輪講ではなく、特定の本を皆が読んで議論し合うという読書法もある。私が意識的に開始した読書会では、この課題による読書と輪講を組み合わせている。二カ月に一回、場所や時間を変えて行うが、要するに、私の主宰する勝手気ままな会だ。読む本も開催日時や場所も私が決める。

次回のその読書会は三月中旬の午後、場所は神戸、本は角川文庫の『西東三鬼全句集』である。この本の「自句自解」という約四十ページを二十名で読む。神戸は三鬼

が愛した町、その町で三鬼を読み、読んだ後には軽く飲む。私たちの酒席にいつの間にか三鬼も来ている、なんてことが起こらないとも限らない。

水枕ガバリと寒い海がある

緑陰に三人の老婆わらへりき

秋の暮大魚の骨を海が引く

右は三鬼の代表句。「わらへりき」は笑った。三鬼は「自句自解」で三人の三という数は天が定めた数、と述べている。この自解をめぐっておそらくは喧々《けんけん》囂々《ごうごう》、老人たちは（特に私は）元気づくだろう。

14 『広辞苑』と「峠の茶屋」

新しく出た『広辞苑』第七版を買ってきて、ぱっと開けたページに「峠」があった。

〈タムケ（手向）の転。通行者が道祖神に手向けをするからいう。「峠」は国字〉

まずこのようにこの語の成り立ちを説明し、その後に二つの意味を示している。

〈①山の坂路を登りつめた所。山の上りから下りにかかる境。「—の茶屋」「碓氷《うすい》—」②物事の絶頂の時期。極限。極度。「寒さもここ二、三日が—だ」〉

こうして写しながら、②の例文に笑ってしまった。この解説者は、もしかしたら、ちょうど今ごろの時期に執筆したのかもしれない。三月に入ると、私も毎年、ああ、寒さも峠を越したな、と思う。あるいは、春が峠を越えてやってくる、と感じる。

実は、『広辞苑』第七版を買うか、買わないかで迷った。日頃は『広辞苑』第六版を使っており、書棚には日本国語大辞典などもある。これ以上、国語辞典を増やす必要はないかも。それに、私の人生も峠を過ぎていて、今はあきらかに下り坂、新しい辞典をどれくらい使えるか分かったものではない。

右のように迷ったのだが、結局、買った。大学で日本文学を教えてきたという職業柄、国語辞典は必須のアイテムだった。特に『広辞苑』にはよく親しんだ。新しい『広辞苑』が私の出会う最後のものになるだろうという思い、その思いが、買う決断をさせたのである。カミさんが、「まあ、やっぱり買ったのね。重いし、字は小さいし、場所はとるし、これから先、さてどれくらい使えるかしら」とやや嘲笑したが、下り坂のアイテムとして楽しめるよ、第一、昼寝の枕になる、と私は心でつぶやいたのだった。

＊＊＊

ところで、寒さが峠を越した、この仕事もここが峠だ、あいつは今が峠だよ、などと言うが、実際の峠、すなわち『広辞苑』の①の意味の峠にはうとくなっている。少年時代には峠をこえて隣の村へ行くことがしばしばあったが。今は車で簡単に峠を越えてしまう。例文にある「峠の茶屋」も私の近所にはもはやない。

「おい」と声を掛けたが返事がない。軒下から奥を覗《のぞ》くと煤《すす》けた障子が立て切ってある。

右は夏目漱石の『草枕』第二章の冒頭、峠の茶屋の場面だ。この茶屋にはお婆さんがいて、そのお婆さんは、かまどの火で雨に濡《ぬ》れた主人公を暖めてくれる。

川端康成の『伊豆の踊子』にもよく似た場面があった。

道がつづら折りになって、いよいよ天城峠に近づいたと思う頃、雨脚が杉の密林を白く染めながら、すさまじい早さで麓から私を追って来た。

これは『伊豆の踊子』の冒頭の文だが、私は坂道を駆け登って茶屋にたどりつく。その茶屋で二十歳の主人公は期待通りに踊り子と出会う。ちなみに、この茶屋にもお婆さんがいて、雨に濡れた主人公の着物を火で乾かせ、と勧める。漱石の『草枕』とほぼ同じだが、漱石をまねたのではなく、峠という場所のいわば定番を康成は描いたのであろう。峠の茶屋にはお婆さんがいて、雨に濡れたら火を焚《た》いて乾かしてくれる、というのがその定番。つまり、峠の茶屋は馬や徒歩で行く旅人をほっとさせる場所だったのだ。

＊　＊　＊

峠で休むといえば、私は次の句を思い浮かべる。

雲雀《ひばり》より空にやすらふ峠かな　　芭蕉

「やすらふ」（やすらう）は休む。雲雀よりも高い空で休んでいる峠だよ、という意味だが、峠と自分が一体化しており、雲雀より高いこの峠で自分は休んでいるよ、ということ。峠の下の方で雲雀がさえずっているのだ。ちなみに、この句の峠は細峠、今の奈良県桜井から吉野へ向かう途中にあ

る。もしかしたら、芭蕉は細峠の茶店で休んだ？

そういえば、峠と同じように茶店も今では少し古い言葉だ。『広辞苑』第七版を引くと、①茶を売る店、②路傍などで休息する人に湯茶などを出す店、とある。「峠の茶屋」は②にあたるだろうが、②に相当する今日の店はカフェだろうか。でも、カフェにはお婆さんはいないだろうなあ。

15 花かげのレモン

その朝、起きてみると雪だった。でも、あまり寒くはなく、氷も張っていない。粥《かゆ》をゆっくり煮ながらみそ汁を作った。具は大根、じゃがいも、缶詰の鯖。小烏賊《こいか》の塩辛《か》漬けも食べた。

右は一九四六年四月六日の高村光太郎の朝食。翌日は日の出を待って起き、粥、みそ汁（大根、昆布、鯖身）、大根おろしの朝食を取った。八日はみそ汁にフキノトウを入れた。畦《あぜ》道にたくさん出ているのを採ってきた。

光太郎は前年の秋から今の岩手県花巻市郊外の山小屋に住み、自炊の生活をしていた。その独居の山小屋暮らしは五二年の秋まで七年間続いた。六十三歳から七十歳に及ぶ期間だ。戦争を賛美する詩を作ったりした「暗愚」な自分、その自分を処断するふるまいが、三畳の山小屋暮らしになった。

＊＊＊

枕元へ雪が吹き込むなど、厳しい山小屋暮らしだったが、自然界の季節のめぐりや村の人たちとの付き合いは楽しかった。詩「クロツグミ」を引こう。

クロツグミなにしゃべる。
畑の向うの森でいちにちなにしゃべる。
ちょびちょびちょびちょび、
ぴいひょう、ぴいひょう、
こっちおいで、こっちおいで、こっちおいで、
こいしいよう、こいしいよう、
ぴい。
おや、そうなんか、クロツグミ。
クロツグミと話しているのだが、クロツグミは「恋しいよう」と鳴いていた。

そうか、お前もか、俺もなんだよ、と光太郎はクロツグミと話している。その恋しい相手は一九三八年に亡くなった妻の智恵子であった。

そんなにもあなたはレモンを待っていた
かなしく白くあかるい死の床で
わたしの手からとった一つのレモンを
あなたのきれいな歯ががりりと噛んだ
トパアズいろの香気が立つ
その数滴の天のものなるレモンの汁は
ぱっとあなたの意識を正常にした
あなたの青く澄んだ眼がかすかに笑う
わたしの手を握るあなたの力の健康さよ

引用したのは「レモン哀歌」の前半だが、レモンの香気がなんともすがすがしい。
それからひと時

昔山巓《さんてん》でしたような深呼吸を一つして
あなたの機関はそれなり止まった
写真の前に挿した桜の花かげに
すずしく光るレモンを今日も置こう

「山巓」は山の頂。智恵子が亡くなったのは十月だったが、光太郎は折にふれて亡き智恵子にレモンをそなえたのであろう。そのことを詩の結びの「今日も置こう」が示している。

ちなみに、当の光太郎は、一九五六年四月二日、まさに桜のころに七十三歳で他界した。私は今、光太郎と智恵子の二人に「すずしく光るレモン」を供えたい気分だ。

＊　＊　＊

光太郎を追慕してやまなかった草野心平は新潮文庫『智恵子抄』の「覚え書」

で、この詩集は「稀有な愛の詩集」だ、と呼んでいる。私見では、光太郎は稀有に率直な人だった。その率直さが、戦時中は戦争賛美の詩を書かせたし、戦後は厳しく自己を処断する山小屋暮らしになった。彼は極端なまでに率直であり、『智恵子抄』もその率直さの結晶だったのではないか。

光太郎と智恵子。この夫妻はともに美術家だった。私は光太郎の木彫りの蟬や文鳥、智恵子の切り紙絵がとてもとても好きだ。そして、二人の肉声が聞こえるような次の二行も。

あれが阿多多羅《あだたら》山、

あの光るのが阿武隈《あぶくま》川。

『智恵子抄』にある詩「樹下の二人」の一節である。

16 桐の花とカステラ

「桐《きり》の花とカステラの時季となった。」これは北原白秋のエッセーの書き出しだが、この時季、いつだか分かるだろうか。

私の住む関西地方だと、桐の花が咲くのは五月の大型連休のころだ。だから、カステラのうまいのは五月ということになる。

＊＊＊

さて、白秋のエッセーは次のように展開する。

「私は何時も桐の花が咲くと冷めたい吹笛《フルート》の哀音を思い出す。五月がきて東京の西洋料理店の階上にさわやかな夏帽子の淡《うす》青い麦稈《むぎわら》のにおいが染みわたるころになると、妙にカステラが粉っぽく見えてくる。そうして若い客人のまえに食卓の上の薄いフラスコの水にちらつく桐の花の淡紫色とその曖昧のある新しい黄色さとがよく調和して、晩春と初夏とのやわらかい気息のアレンジメントをしみじみと感ぜしめる。」

「気息のアレンジメント」とは晩春と初夏の入り混じった空気のほどよい快さ。その快さを具体的な物で示すと、淡紫色の桐の花と黄色いカステラになる。

ちなみに、白秋のイメージしているカステラは「ばさばさしてどこか手ざわりの渋いカステラ」。私はばさばさのカステラよりもしっとりした感じのものが好きだ。一

番好きなのは、そのしっとりしたカステラの底の部分。つまり、敷き紙に接している部分だ。紙に少しでもカステラが付着していると、そのカステラを歯でしごく。実はこのときのカステラが絶妙である。

右のエッセーは歌集『桐の花』（一九一三年）に出ているが、題名はそのものずばり「桐の花とカステラ」である。

では、詩集『思い出』（一九一一年）にある詩「カステラ」を読もう。

　カステラ

カステラの縁《ふち》の渋さよな。
褐色《かばいろ》の渋さよな。
粉のこぼれが手について、手についてね、
ほろほろとほろほろと、たよりない眼《め》が泣かるる。
ほんに、何としょう、
赤い夕日に、うしろ向いて

ひとり植えた石竹《せきちく》。

「たよりない眼が泣かるる」は自然に涙が出る、ということ。カステラを食べながら、一人で植えた石竹を見ているのか、もしくは思い出しているのか。いや、カステラを食べる自分が石竹みたいなのかも。

＊＊＊

この詩「カステラ」から、私は歌集『桐の花』の次の歌などを連想した。

春の鳥な鳴きそ鳴きそあかあかと外《と》の面《も》の草に日の入る夕《ゆうべ》

ヒヤシンス薄紫に咲きにけりはじめて心顫《ふる》いそめし日

きょうもまた泣かまほしさに街にいで泣かまほしさに街よりかえる

「な鳴きそ鳴きそ」は鳴くな、鳴くな。草を真っ赤に染める夕日をしずかに見ていたい気分を詠んでいるのだろう。「心顫いそめし日」はだれかに対して心がときめいた日。「泣かまほしさ」は泣きたい。なんとなく泣きたい気分で街に出て、でもその気分が晴れないで家に戻ってきたのがこの歌だが、そんな日が私にも時にある。

空に真赤《まつか》な
空に真赤な雲のいろ。
玻璃《はり》に真赤な酒の色。
なんでこの身が悲しかろ。
空に真赤な雲のいろ。

詩集『邪宗門』（一九〇九年）から引いたこの詩は、白秋とその仲間たちの、いわばグループの歌であったらしい。仲間が集まって酒を飲むと、だれからともなくこの詩を口ずさんだ。酔っぱらって合唱すると気が晴れたのだろう。

以上、現代仮名遣いに変えて白秋のエッセー、詩歌を引用した。白秋の多彩な作品は、詩歌にしてもエッセーにしても、声（リズム）を基調にしている。声に出して読む時、日本語の多彩さを発揮するのだ。ともあれ、今、私はカステラをすぐにでも食べたい。

17 ホトトギスを聞きましたか

あなたはホトトギスを聞きましたか、と問われたら、なんて答えるだろう。

ホトトギスって、あのホーホケキョのこと?

昔、聞いた気がするけど…。

うん、筑波山でいっぱい聞いたよ。

いろんな答えが出るだろうが、この質問、実は『徒然草』(百七段)にある。

御所の女房たちが、「時鳥や聞き給へる」(ホトトギスをお聞きになりましたか)と男たちに尋ねるのである。その答えぶりで、男の品定めをしようという意地悪な質問であった。

右の三つの答えで合格なのは、筑波山で聞いた、であろう。ホーホケキョはウグイスの声だから、この答えの主はホトトギスを知らない。昔聞いた気がするという答えも、ホトトギスに対して無関心ぶりを暴露している。

＊　＊　＊

今、私たちは四季の文化の中にいる。四季を暮らしの秩序にしているのだが、この文化は、『万葉集』の後期の八世紀末から広まり、十世紀になると平安時代の貴族たちの文化の基本になった。十世紀初頭にできた『古今和歌集』では和歌を四季に分類しているが、和歌だけでなく、衣食住のさまざまが四季を重んじるようになる。

四季には代表的な風物がある。春は花、秋は月、冬は雪、というように。これらは、雪月花とか、花月と呼ばれて、広く定着しているが、なぜか夏の風物が抜けている。あるところで、夏の代表的風物、分かりますか、とたずねたら、かき氷、セミ、ホタル、海水浴などが出た。ホトトギスと答えた人はいなかったが、明治時代までは夏はホトトギスだった。

卯《う》の花の匂ふ垣根に、時鳥、早やも来鳴《きな》きて…。これは佐佐木信綱の作詞した明治の唱歌の一節だが、古来、ホトトギスは卯の花や橘《たちばな》の花に来て夏の訪れを告げた。橘はミカンだ。

聞かずとも聞きつといはん時鳥人笑はれにならじと思へば　源俊頼

聞いていないけれど聞いたと言おう、人に笑われないために、という歌だが、ことほどさように、ホトトギスを人々は聞こうとしたのだ。ちなみに、この歌の作者は平安時代後期の代表的文化人。

先に触れたように明治時代はまだホトトギスが健在だった。信綱の唱歌のほかに、徳冨蘆花《ろか》の「不如帰」が大ベストセラーになったし、正岡子規も活躍した。不如帰、子規、時鳥、杜鵑などはいずれもホトトギスを指す漢字である。ホトトギスが縁遠くなるのは、ごく近年、日本列島が都市化したせいかもしれない。私見では、明治以降のホトトギスでもっとも見事なのは杉田久女《ひさじょ》のホトトギスだ。

谺《こだま》して山ほととぎすほしいまま

ホトトギスが高らかに鳴いている。「ほしいまま」という自由で自在な鳴きぶりを示す表現がとてもよい。

＊　＊　＊

久女は一八九〇年に生まれ、結婚して福岡県に住んだ。このホトトギスの句は、福岡と大分の県境にある英彦山《ひこさん》で聞いたホトトギスが元になっている。先年、私は俳句仲間とその英彦山を訪ねたが、あいにく山は霧だった。ところが、つかの間霧が晴れ、ケッキョ、ケキョキョキョと高い声が響いた。「あっ、久女！」と誰かが叫んだ。

久女は高浜虚子に師事して俳句に励み、「花衣ぬぐやまつはる紐《ひも》いろいろ」「春浅く火酒したたらす紅茶かな」「風に落つ楊貴妃桜房のまま」などの傑作を遺《のこ》した。晩年、虚子との間に齟齬《そご》が生じたが、男社会だった俳句の世界に女性の俳句の世界をいち早く開いたのが彼女である。いや、いち早く開くとともに、近代の俳句の最前線に立った、と言ってもよい。師の虚子をも超えて、ホトトギスは（久女の俳句は）高らかに鳴いた。

　北九州市立文学館が久女の顕彰に熱心で、同館は『久女句集』『杉田久女頌』を刊行している。二〇一七年に出た後者は、久女の主な俳句と随筆・評論などを集めて

おり、久女を読むための便利な一冊。高橋睦郎や私などの久女論も収録されている。講談社文芸文庫の『杉田久女随筆集』も主要な俳句を収めている。久女をモデルにした田辺聖子の小説『花衣ぬぐやまつわる…』（集英社文庫）もお勧めだ。

18 キスしましょ、の季節

あるとき、原稿の締め切りにずいぶん遅れていた。担当の編集者から催促の電話があって、「今、題名だけでも教えておいてください」と言われ、「はい、キスしましょ」と応じた。

一瞬電話が凍った感じだった。しばらく間があって、「ふざけないでください。作品の題名をちゃんと教えてください」と怒りを押さえた声。「だから、キスしましょ、ですよ。これ、題ですよ」と言ったら、こんどは電話から急に空気が抜ける感じだった。編集の女性はハハハハッと明るく笑い、以来、ずいぶん親しくなった。

＊＊＊

右のやりとりの後で雑誌に載せた私の俳句は「キスしましょ」と題をつけた一連の句だった。その中に

睡蓮《すいれん》へちょっと寄りましょキスしましょ

があった。これ、今でもちょっと自慢の

作だ。

この句の前に、「白南風《しらはえ》や午前にちょっとキスをして」という句を作っていた。白南風というのは梅雨明けのころに吹く、からっとした南風である。梅雨の終わりを告げ、本格的な夏の到来をもたらす風だと言ってもよい。その白南風の吹く午前に軽くキスをした、というのがこの句だが、「いい年をしてよく作ったなあ。恥ずかしくない？」とか言われ、やや憤然としていた。

そのころ、親しくしていた俳句仲間に七十歳代のSさんがいて、彼は（というよりこの先輩は）出かける際、奥さんに軽くキスをする習慣だった。生まれた時からのキリスト教徒だったので、キスという西洋的な挨拶がごく自然に身についていたのだろう。酒の席にSさんがいると、私たちはきまって彼のキスを話題にした。七十歳や八十歳になってもキスをする、そんな老人にわれらもなりたい、と。キスまではいかなくても、ごく自然にハグできる老人はすてきではないか。というわけで、私たちはSさんを冷やかしながら、実はあこがれていたのである。

ところで、これはとてもまじめな話だが、快い白南風が吹いて窓のレースのカーテンを揺らす朝、そばに相棒がいたら、ちょっとキスをしたいではないか。実際にするかどうかはともかくとして。私が白南風の句を作った当座、私の周辺は、「そんなこと思わないよ」という人が圧倒的多数だった。だから、「いい年をして……」と見なされたのだった。

＊＊＊

このような場合、ああ、やっぱり恥ずかしいのかなあ、とへこむのではなく、あえて恥ずかしさを発揮するのが文学だ、と私は思っている。名作というものは、文学に限らず、映画でもアニメでもマンガでも、その出現した当初、いくぶんかの恥ずかしさを感じさせる。恥ずかしさとは常識からそれた際の感情である。

夏目漱石の「坊っちゃん」にしても、屋根から飛び降りたり、小刀で指を切ったりする行動は、その行動の単純さが恥ずかしいばかり。「源氏物語」の主人公、光源氏は四季の館を作り、春の館には春らしい恋人、夏の館には夏に似合う恋人を配置する。主人公のそのきざぶり、なんとも恥ずかしいではないか。

というわけで、白南風の句の悪評にめげず、ねんてんは勇敢にキスの句の傑作を目指した。それが睡蓮の句だった。

さて、出来栄えはどうか。

この句が雑誌に出たとき、助兵衛爺《すけべえじい》のたわごとに過ぎないという意見があった。そうかなあ、それだと恥の上塗りになるな、と少しばかり弱気になっていたら、「寄りましょキスしましょ」の対句的表現の快さが、まさにちょっと、日常（常識）を超えている、それがよい、と言ってくれた人がある。あのSさんだった。

Sさんは、睡蓮はきりっとして咲く花、助兵衛的ではまったくない、とも言い、この句を口ずさむと睡蓮になる気がする、自分も実はこんな句が作りたいのだ、と話した。

そのSさん、当年八十八歳である。紙おむつの着用などを気にして、人前にあまり出なくなったが、時々メモのような手紙が届く。先日の手紙には、「今年もまた、キスしましょ、の季節がやってきました」とあった。

19 「老人と海」の老人は海

ときに海へ行きたくなる。ぼーっとして水平線をながめていたい。あるいは、海に向かって窓の開いた部屋で、たとえばヘミングウェイの小説「老人と海」を読みたい。

＊　＊　＊

「老人と海」には、老いた漁師のサンチャゴを尊敬する少年が登場する。その少年がいつからか私は好きである。彼は老いた漁師を尊敬しており、こまごまと身のまわりの世話をする。お爺さんといっしょにいるのがとてもうれしい。二人の会話を引こう。(以下、引用は新潮文庫『老人と海』に拠《よ》る)

「じゃ、おやすみ。朝、起しにいくよ」

「お爺さんはぼくの目ざまし時計だ」

「そして年がおれの目ざまし時計というわけか」と老人はいった、「年寄りはなぜ早く目をさますんだろう? 一日を長くしたいからかな?」

「わからないよ、そんなこと。ぼくの知っていることは、子供たちは朝寝坊で、なかなか起きられないってことだけさ」

「うん、おれにも覚えがある」と老人はいった。「大丈夫だ、間にあうように起しにいってやるよ」

「ぼく、親方に起してもらいたくないんだ。なんだか自分が一人前じゃないみたいな気がしちゃうんだもの」

「わかった」

「じゃ、おやすみ、お爺さん」

老人は不漁、すなわち狙う魚の釣れない日が、もう八十四日も続いている。少年は老人といっしょに漁に出ていたのだが、親の命令で今は別の親方についている。でも、少年は老人を信頼し、老人に起こしてもらいたがっている。

その少年の信頼のもとは、右の会話の、たとえば「年寄りはなぜ早く目をさますんだろう？　一日を長くしたいからかな？」という老人の言葉などにあるのではないか。この言葉はとても楽天的、しかもユーモアがある。こんな老人がそばにいたら、この世をまるまる肯定したくなるかも。

ちなみに、老人は「なにもかも古かった」。漁師としてはもはや老朽なのだが、眼《め》だけは違っていた。「それは海とおなじ色をたたえ、不屈な生気をみなぎらせていた」。少年は老人のその生気に反応していた、と言ってもよい。

八十五日目、老人はついに巨大なカジキマグロを釣る。数日にわたって巨大魚と格闘するのだが、格闘しながら、ここにあの少年がいてくれたら、と老人はしばしば思う。あちこち負傷しながら、ついに老人は巨大な獲物をしとめるが、なんと帰港の最中にサメの襲撃にあい、獲物をすっかり食べられてしまう。老人は骨だけになった獲物と帰ってくる。

＊＊＊

惨憺《さんたん》たる漁だった。自分の小屋に戻った老人は、うつぶせになって眠りに落ちた。「少年がかたわらに坐《すわ》って、その寝姿をじっと見まもっている。老人はライオンの夢を見ていた。」これが「老人と海」の最後の場面。ぼろぼろになった老人がライオンを夢見るというのはおかしいが、このユーモアは、なおも残っている生気であろうか。老人はいつまでたっても海そのもの、という気がする。

「老人と海」を紹介したが、実はヘミングウェイに文句を言いたい。サメが一方的に悪者扱いされているから。私の育った四国の村では、冠婚葬祭、つまり晴れの日に、決まってサメを食べた（土地ではフカと呼んだ）。今でもその習慣が続いている。

フカは、その種類によっては人を襲う。私の村にも脚をフカに食われた漁師がいた。そのようなこわいフカをどうして食べるのか。人智を超えた凶暴な大自然の力、それに対抗する力を、フカを食べることで人は身につけようとしたのではないか。生き抜こうとする必死の思い、それがフカを食べる習慣になったのだ。フカは人々の生きる力に転じた。

「私の耳は貝のから／海の響をなつかしむ」。これは堀口大学の翻訳詩集『月下の一群』にある詩。作者はジャン・コクトーだ。ひどく暑い日が続いて今年はまだ海に行けていない。せめてはこの詩を口ずさみ、かつて聞いた海の音をよみがえらせよう。

20 「白樺の家」と呼ばれたい

かなわなかった夢、あるいは、もはや実現しそうにない希望がいくつかある。たとえば庭に大木があって、その木に登ったりぶら下がったりする。その木がこんもりと丸くなる楠《くす》の木だったら、その下に木のベンチを置きたい。ベンチで読書をし、昼寝をするのだ。時にはそこで朝ごはんを食べてもよい。

残念ながら、わが家には大木を育てる余地がない。庭はまさに猫の額なのだ。

＊＊＊

白樺は直立する木夏がゆく

これは、数年前に作った私の句。九月に入って、木々の葉が少し色づくというか、緑色があせてくるころ、まっすぐに立つ白樺の白い幹が目立つ。それでこの句を詠んだのだが、実はモデルはわが家の白樺である。

えっ、白樺がある？　木を植える余地がない、とついさっき言ったのに、と思われる人があるかも。実際、ないのだが、玄関わきに無理をしてヒヤマさんが白樺を植えたのだ。

これ、関西でも育つ白樺だって、と言いながら、ヒヤマさんは二メートル近い白樺を植えた。その直後、台風が接近、折れたらいけないというので、ヒヤマさんはひょろひょろの幹に細いロープを掛けた。

ところが、これがいけなかった。ロープを掛けたすぐ上からぽきりと折れてしまったのだ。強風にあおられたせいだった。ロープがなければ吹かれるままにしなって折れなかったかもしれない。

今、わが家の白樺は、先がないというか、直立して空へ伸びるという感じがないままに枝を伸ばしている。この木、高くはならないだろうなあ、と言いながらヒヤマさんはせっせと水をやる。彼女の夢の木なのだ、白樺は。

ヒヤマさんは妻だが、彼女はヒヤマという名で俳句を詠む。それで、このごろ私は、ごく普通にヒヤマさんと呼ぶようになっている。ヒヤマさんの望みは、わが家を「白樺の家」と知人が呼んでくれることだったかもしれない。台風はその夢をややくじいたが、高くなったら先を切らなくてはいけないから、折れたのはちょうどよかった、とヒヤマさんは言う。まだ「白樺の家」を目ざしているらしい。

「秋九月中旬というころ、一日自分がさる樺の林の中に座していたことが有《あ》った。」このような書き出しの小説がある。「自分がさる樺」の「さる」は或るという意味。つまり、或るところの樺の林に自分はすわっていたのだ。この小説、二葉亭四迷が翻訳したロシアの小説家、ツルゲーネフの「あひびき」である。

この小説の主人公「自分」は、林へ猟に来ていて、樺の木の根元でうつらうつらする。目がさめたとき、木立ちの向こうに少女の姿があった。だれかを待っている「農夫の娘らしい少女」だった。私が木の間から見ていると、やがて少年が現れる。どこかの家の給仕らしい、ちょっとわがままな感じの男だ。彼は明日、主人といっしょに都会へ出発すると言い、少女に別れを告げて去ってゆく。なんともすげない男だ。少女は泣き伏してしまうが、ふと覗いている「自分」に気づき、あっと叫んで走り去る。後には花束が残されていた。少年にプレゼントするために少女が持ってきた花束だった。その花束を拾って「自分」は帰宅する。「持ち帰った花の束ねは、からびたままで、尚《な》おいまだに秘蔵して有る……」がこの小説の結び。

＊＊＊

「あひびき」は四迷の全集で十二ページ分の短編だ。現代の表記法に直して引用したが、小説の内容は少女と少年のデートを覗き見するという単純なもの。だが、文体が日本語としてよくこなれており、明治二十一年に発表されたこの小説は、言文一致の文体の早い例として評価が高い。その文体は国木田独歩などに影響を与えた。

　ところで、私は時折、ヒヤマさんと覗きに行く。近くの公園の金木犀《きんもくせい》を見に行くのだ。その金木犀、元はわが家にあった。大きくなり過ぎる気配だったので、いけないことだが、ある夜、その公園にこっそり移した。それから二十年近くになるので、ずいぶん大きくなっており、ふんぷんと花をつける。ヒヤマさん曰く、白樺、折れてよかったよ、高くなるとここへ移すことになるもの。

21 禍を福に転じる姨捨駅

初めての場所へ行く時、必ず迷う。二度目、三度目でも迷うことが多い。注意力が散漫なのか、いわゆる方向音痴なのか。おそらくその両方なのだが、さて、次の場合はどうだろう。

＊＊＊

この夏、長野県小諸《こもろ》の俳句の会で講演を頼まれ、名古屋まで大阪から新幹線、名古屋で特急「しなの」に乗車、木曽路を登った。島崎藤村の小説「夜明け前」の「木曽路はすべて山の中である」という書き出しを思い浮かべ、それを「木曽路はすべて万緑の中である」と書き替えたりしながら、私は一人旅の気分にひたった。

さて、篠ノ井に着くとすぐ、教えられていたホームへ急ぎ、停車していた列車に乗った。ここからはしなの鉄道で小諸に向かうのだ。列車はすぐ出た。間もなく車内放送があって、到着予定の駅名を告げ始めた。あっ、叫びそうになった。私はやってきた道を、普通列車で後戻りしているのだ。しなの鉄道でなく、ＪＲの列車に乗ったのだ。

不注意だった。しかも、小諸がどの方向かを意識しなかったところは先天的な方向音痴、あるいは地理的感覚の鈍さかもしれない。ともあれ、もう手遅れだ。どこかの駅で下車して引き返すしかない。

私は姨舎《おばすて》で下車することにした。ついさっき特急「しなの」で通過した駅である。姨捨という地名は姨捨伝説や芭蕉の「更科《さらしな》紀行」で知っていた。一度は行きたい場所であった。禍《わざわい》を福に転じる気分で私は姨捨駅に降りた。姨捨駅のホームに立つと、目の前に善光寺平が広々としていい眺めだ。しかも涼しい。なんだか得をした気になってきた。

引き返す列車は約一時間後だった。ベンチで風に吹かれながら、スマホを操作して「更科紀行」をざっと読む。

「さらしなの里、おばすて山の月見ん事、しきりにすすむる秋風の心に吹さはぎて、ともに風雲の情をくるはすもの又ひとり、越人《えつじん》と云《いう》。木曽路は山深く道さがしく、旅寝の事も心もとなしと荷兮子《かけいし》が奴僕《ぬぼく》をしておくらす。」

『日本古典文学全集・松尾芭蕉集②』(小学館)から引用したが、秋風に勧められて姨捨の月を見に行く、なんて、ちょっと気《き》障《ざ》ですよ、芭蕉さん、と思う。しかも、三

人旅。そのうちの一人は旅の世話をしてくれる奴僕（下男）である。この奴僕は荷兮の家で働いている男だった。ちなみに、越人も荷兮も名古屋の人で芭蕉の門下。つまり、門下に庇護されて芭蕉は木曽路の旅をしたのだ。なんだか一人旅の私の方が偉い（？）気がする。それはともあれ、芭蕉は姨捨で次の句を詠んだ。

　俤《おもかげ》や姨《おば》ひとりなく月の友

「俤や」は誰かの幻影が見えるなあ。その誰かは、一人で泣いている姨（老女）だ。その幻影の老女を今夜の月見の友にしよう、というのであろう。もっとも、「姨捨山」という前書きがあるので以上のように読めるのだが、そうでなかったら、かなり読解がむつかしい。老女の泣く意味が分からない。

＊　＊　＊

駅のベンチの私は、芭蕉さん、この俳句、下手なんじゃないですか、と心中で問いかけた。「俤や。姨ひとりなく。月の友。」と三つの文で句が出来ており、こういう句は三段切れと言って昔から嫌われる。意味が取りにくいというか、三つの文の関係が分からない。この句の場合は「姨捨山」という前書きがあるので意味がとれる。要するに、不完全な片言のような句だが、姨捨という名所が補完してくれて、片言の意味が分かるのだ。

もっとも、捨てられた老女と月を見る、という発想は謡曲「姨捨」そのまま。というか、この句は姨捨伝説や謡曲「姨捨」を五七五に要約した感じだ。その結果、この芭蕉の句は名所・姨捨のキャッチコピーになったのではないか。正岡子規の「柿くへば鐘が鳴るなり法隆寺」が法隆寺の一種のキャッチコピーになったように。俳句はすてきなキャッチコピーになったとき、名句になるのかもしれない。

というようなことを思って、姨捨の涼しい風に吹かれていたら列車が来た。篠ノ井駅では駅員に、小諸行きの電車はどれですか、とまず尋ねた。

小諸駅に到着したのは、講演の始まる十五分前だった。実は、小諸に到着したら、地元の人々とちょっと遅めの蕎麦《そば》の昼食をとる予定だった。「更科紀行」には芭蕉の次のような句もある。

身にしみて大根からし秋の風

身にしみる大根の辛さ、それが、秋風に吹かれるといっそう辛く感じられる、というのだろう。この辛い辛い大根で蕎麦を食べたい、と思っていたのだが、その楽しみは幻になってしまった。

さて、私は禍を福に転じたのだろうか。

22 すわり心地のよき椅子

石川啄木に「家」という詩がある。一九一一年、二十六歳の作品だ。その詩、

今朝も、ふと、目のさめしとき、
わが家と呼ぶべき家の欲しくなりて、
顔洗ふ間もそのことをそこはかとなく思ひしが、
と始まるが、勤め先より帰って来て、夕餉《ゆうげ》のあとの一服の際、また家が欲しい
とひょっと思う。その欲しい家は次のようだった。

場所は、鉄道に遠からぬ、
心おきなき故郷《ふるさと》の村のはづれに選びてむ。
西洋風の木造のさつぱりとしたひと構へ、
高からずとも、さてはまた何の飾りのなくとても、
広き階段とバルコンと明るき書斎……
げにさなり、すわり心地のよき椅子も。

＊　＊　＊

「バルコン」はバルコニー、「げにさなり、すわり心地のよき椅子も」は、そうだそうだ、すわり心地のよい椅子も欲しい。その椅子では、丸善から取り寄せた洋書をうつらうつらと読む。あるときは、椅子のまわりにつぶらな目の村の子どもたちを集めていろんな話をする。この詩、次のように結ばれる。

　はじめより空《むな》しきことと知りながら、
なほ、若き日に人知れず恋せしときの眼付《めつき》して、
妻にも告げず、真白なるラムプの笠を見つめつつ、
ひとりひそかに、熱心に、心のうちに思ひつづくる。

「ラムプ」はランプ、「思ひつづくる」は思いを綴る。若い日の片思いのようにわが家を幻想しているのだが、この詩の別の場所には、「わが家」幻想は日々の暮らしに疲れた都市居住者の思いを綴ったものだ、とある。それはともかく、「すわり心地のよき椅子」を求める啄木が好きだ。この詩を初めて読んだ二十歳前後のころから、私もまたひそかに「すわり心地のよき椅子」を望んできた。

＊＊＊

この詩を書いた当時の啄木は、朝日新聞社の校正係だったが、日々の暮らしに悪戦苦闘していた。病気と経済的困窮につきまとわれていたのだ。そんな暮らしの中で、幸徳秋水らの大逆事件への関心を深め、評論「時代閉塞《へいそく》の現状」などを書いた。国家という強権と対立する位置に自分を置いた、と言ってよいだろう。そのような位置こそが明日（未来）に向かって開かれている、と啄木は考えた。「わが家」幻想もその位置で思い描いた幸せのイメージだった。

そことなく
蜜柑の皮の焼くるごときにほひ残りて
夕《ゆうべ》となりぬ

新しきサラドの皿の
酢のかをり
こころに沁《し》みてかなしき夕

歌集『一握の砂』（一九一〇年）から引いた。「サラド」はサラダ。啄木は貧乏で、借金を重ねながらの貧窮生活だったが、これらの歌に貧乏くささはない。ミカンの皮、サラダの酢さえ、なんとなく意味深いというか、豊かな世界へつながっている感じだ。そこが啄木のすてきなところだ。

＊　＊　＊

ちなみに、校正係として入社した啄木の月給は二十五円だった。妻子がいて父母もいる暮らしを支えるには足らず、夜勤、すなわち時間外労働をして稼いだが、それは結果として病気を引き寄せることになった。ついでだが、同じ会社に小説を書く社員として入社した夏目漱石は、月給二百円に年二回の賞与がついた。啄木は、漱石のような小説家を目ざして「菊池君」「病院の窓」などの小説を書いたのだが、結局、小説ではうまくいかなかった。だが、短歌や詩、評論において、今なお色あせない魅力を発揮している。私は『一握の砂』の歌がことに好きである。

高山《たかやま》のいただきに登り
なにがなしに帽子をふりて
下り来しかな

路傍《みちばた》に犬ながながと欠伸《あくび》しぬ

われも真似《まね》しぬ
うらやましさに

なんとなく帽子を振る、ただそれだけのことに充足している。犬の欠伸を真似する気分はことにすてきだ。なんだかおかしいが、このユーモアが啄木を貧乏くささから解放しているのかも。

23 お前も可愛いな

夏目漱石は兄嫁が亡くなったとき、
人生を二十五年に縮めけり

君逝きて浮世に花はなかりけり

などの手向けの句を作った。すぐ上の兄の妻・登世《とせ》を惜しんだのだが、漱石はこの兄嫁に恋していた、という説が流布している。

＊＊＊

恋していたかどうかはともかく、あまり年齢の違わない兄嫁に漱石は親しみを感じていたのだろう。漱石の小説「行人」に出る二郎は、兄・一郎の妻ととても親しい。気楽な話し相手なのだが、弟とそのような親しい関係を作れるのは、もしかしたら、すてきな兄嫁なのかもしれない。

漱石にはもう一人、すてきな兄嫁がいた。いや、いたかもしれない話があった。

漱石の父は、役所（警視庁）に勤めていたらしいが、その彼の下役に樋口という者がいた。学問もあり、こまめに立ち働く男だったので、父は可愛《かわい》がって使っていた。ところが、この男、金を用立ててやるとなかなか返さない。その頃、漱石の長兄・太一が、同じ役所で翻訳をする仕事についていた。この兄は早くに亡くなるのだが、漱石はとても尊敬していたらしい。この男前だった兄に、樋口の娘をもらったらどうか、という話が持ち上がった。樋口の娘は「字も立派だし歌も作るし、第一たいそう才媛」という評判だった。以下、漱石の妻・鏡子の『漱石の思い出』（文春文庫）から引く。

「ところが考えたのはお父さん。ただの下役でさえこれくらい金を借りられるのに、娘をもらったりなどしたら、それこそどうなることかとこう算盤を弾いたものとみえまして、この話はそれなりきりで、あたら一葉女史を夏目の家にもらいそこねたという話がございます。」

前回に取り上げた石川啄木、そして樋口一葉は、借金暮らしをした双璧ともいうべき文学者だった。一葉が知人などに借金するようすは、彼女の日記にしばしば記されている。『漱石の思い出』の記事は、一葉の世に知られた借金暮らしを背景にして、面白く脚色された話かもしれない。要するに、真偽のほどは定かでないが、夏目家の嫁に樋口の才媛をどうか、という話はあったのだろう。

ちなみに、実際の兄嫁・登世は二十五歳で亡くなったが、樋口一葉も一八九六年に二十四歳で他界した。その一葉の他界した年に漱石は鏡子と結婚した。

＊　＊　＊

話が飛ぶが、一八九六年、一葉に火がついていた。借金まみれの火でなく、人気の火だ。一葉は二十歳ごろから小説家を目指すが、なかなか芽が出なかった。そのために借金暮らしをせざるをえなかったのだが、この年、小説「たけくらべ」が完結、森鷗外や幸田露伴に認められ、新聞や雑誌からの執筆依頼がどっとくる。だが、借金暮らしの無理がたたって、体力が限界にきていた。肺結核が悪化し、この年の十一月に死去した。

一葉は日本初の女性のプロの小説家だった。だった、というか、プロになった途端に倒れた悲運の作家だった。でも、「たけくらべ」「十三夜」「大つごもり」

などの小説は今なお読み継がれているし、私もとても好きだ。

今回はちょっと変わった一葉の短編を紹介したい。やはり一八九六年に発表した「この子」。岩波文庫の『大つごもり・十三夜』に収録されているが、一葉の唯一の口語体（言文一致）の小説である。

＊＊＊

裁判官と結婚した私は、外で何をしているか分からない夫に強い不信感を持ち、不幸を嘆いていた。やがて、子どもが生まれると、その赤ちゃんを自分だけの宝物とし

て可愛がる。ある日、その赤ちゃんと風車などで夫が遊ぶ。赤ちゃんはうれしそうににこにこする。夫はひげをひねって、私に向かって言う。「お前も此子《これ》が可愛いか」と。私は、あたりまえでございます、とつんとしていると、「それではお前も可愛いな」と夫。夫の言葉は上から目線だが、これは男尊女卑の時代の制約、この夫、結構話の分かる男だ。

「それではお前も可愛いな」。この一言で、私は態度を一変する。つんつんするのをやめて夫に親しむようになるのだ。子はかすがい、ということわざのような話であり、とても単純な小説だが、赤ちゃんの可愛らしさの共有が夫婦の原点、という素朴さが快い。

24 正月いろいろ

俳句の歳時記を開くと「正月」がいくつもある。まずは「正月」。これは一年の最初の月を指し、一月、睦月《むつき》なども呼ぶ。敬語の「お」をつけてお正月と呼ぶ（他の月には「お」をつけない）が、これはかつて正月の神が家においでになっていた名残だろう。

＊　＊　＊

正月の神は歳徳神《としとくじん》、正月さま、正月どんなどと呼び、柳田国男の『先祖の話』（一九四六年）によると、白髪の先祖のイメージだったという。この正月の神は、ふだんは小高いところにいて、子孫の暮らしを見守っていた。年末、松や笹《ささ》などの常緑の枝に乗せて家々に迎えた。門松を立て、注連《しめ》飾りをするのは、ここに正月の神がおいでになる、というしるしであった。大木や大岩などの注連飾りをあちこちで見かけるが、あれも木や岩に神がおられるというしるし、つまり、注連飾りは聖域を標示するものである。

＊＊＊

四国で育った子どものころ、元日には外へ出なかった。せいぜい庭に出るくらいだった。家に正月の神がおいでになっているので、外出をひかえてその神に仕えていたのだ。その神は、一年間の幸せを私たちにくださった。

というようなことを、近所にいる中学生（孫）に話したら、「じーじ、その幸

せって、もしかしたらお年玉?」と言った。そうなのだ。平和や健康や富、それがお年玉であった。年玉とは一年間の幸福の結晶である。

「でも、じーじ。今はじーじやばーばがくれるよ。それに、お年玉って現金だよ」。孫娘はふに落ちないようだ。

「うん、じーじやばーばは、正月の神の仕事をかわりにしていると見たらいいよ。つまり、正月さまの代理だよ」

「たしかにじーじの家は注連飾りをしているね。でも、わたしんとこはしてないよ。ママの手作りリースを飾っているけど」

彼女は不可解がさらに増したという面持ちだ。

で、次のような話をした。

正月に先祖を迎えるという習慣が、今や風前のともしびになっている。門松や注連飾りにしてもスーパーや花屋で買ってくるし、元日はまだ暗いうちから初詣に出かける人が多い。お年玉だって、子どもが正月にもらう特別の小遣いになっている。つまり、正月の意味が変化したのだ。

明治時代の初め、政府は神仏分離を推進したが、それによって、神でもあった先祖がもっぱら仏になった。そして、先祖は仏（祖霊）としてお盆に迎える存在になった。神としての先祖は急速に影がうすくなったのだ。それで、正月には神を迎えるのではなく、神のおられる大きな神社へ初詣にゆくようになった。

孫娘は、ふーんという表情をして、「ダンスの練習に行く時間だから、またね」と立ってしまった。

＊＊＊

さて、次の正月は「七日正月」。いわゆる松の内は正月の神が来ている期間だが、その期間の終了が七日。松飾りを外し、正月を一新する。この七日正月は関東の習慣だったらしい。

十五日は「小正月」。農家では豊作を願ういろんな行事があった。注連飾りなどを焼くどんど焼きも行われる。関西ではこの日が先に触れた関東の七日正月にあたる。

小正月は「女正月」とも呼ばれた。元日は男中心の正月、女性は裏方として家事に忙殺された。その女性たちがようやく手を休めるのがこの日だった。女性ばかりで集まって飲食を楽しんだという。これ、今を時めく女子会の原型かも。なお、ところによっては二十日が女正月だった。

二十日は「骨正月」。二十日正月とも言い、正月の祝い納めがこの日だった。食べ残していた正月のご馳走《ちそう》を骨まで食べつくしたのでこの名があり、主に西日本で盛んだった。鰤《ぶり》の骨などを粕汁《かすじる》にしたらしい。

あっ、もう一つのお正月を忘れていた。「寝正月」。孫娘は帰るとき、「じーじ、わたしは初詣に行かないで寝正月よ。練習で疲れているもん」と言ったのだった。寝正月もその起源は神に仕えて家にこもったことにあるだろう。

25 正宗白鳥はどこの酒？

先日、句会に「寒晴れは正宗白鳥日和かも」という句を出した。ある人が、「この正宗はどこの酒？　それとも正宗、白鳥、日和がどこかの地酒かなあ」と言った。すると、「正宗白鳥って聞いたことがあるよ。たしか小説家だよ」と応じる人がいた。その人、「文学史に出てきた名前の気がするけど、読んだことはないな。だれか読んだ？」と尋ねたが、みんな無言だった。

＊＊＊

というわけで、この句を選ぶ人はなかった。つまり、句会では無視に近い扱いだった。

右のやりとりを聞きながら、「そうか、正宗白鳥は今や酒の名前と間違えられるのか。じゃ、彼をもっと話題にすべきかも」と思った。というのも、このところ、私はこの小説家にはまっているのだ。

去年（二〇一八年）の秋、岡山市へ行った際、吉備路《きびじ》文学館に寄った。ちょうど「正宗白鳥展」をやっていた。生誕百四十年を迎えることを記念した展覧会だった。白鳥は一八七九（明治十二）年の生まれ、今年がちょうど生誕百四十年に当たるのだ。大学に勤めていたころ、日本文学史を講義することがあって、自然主義の作家として白鳥を紹介した。小説「入江のほとり」や評論「自然主義文学盛衰史」などを一応読んだが、中身はほとんど忘れていた。彼は今の備前市穂浪が故郷である。

その夜、ホテルで「入江のほとり」を読み返し、「花より団子」「月を見ながら」などのエッセーに目を通した。早寝早起きの私は、深夜に目が覚める。一時間くらい読み、それからまた寝ることが習慣化しているのだ。深夜の読書には楽天の電子書籍リーダーＫｏｂｏを使う。インターネット上の無料の図書「青空文庫」を利用して読む。

＊＊＊

深夜の正宗白鳥はおもしろかった。たとえば「入江のほとり」。これは一九一五（大正四）年に発表された短編小説である。村の旧家の兄弟たちの話だが、兄弟がとてもばらばら。たとえば小学校の教師をしている辰男は、自分の机にかじりついて英語を独習しているが、ほとんどオタクというか、引きこもりである。これでよく教師がつとまるなあ、という青年だ。他の兄弟たちからは変人としてばかにされている。その辰男の妹の勝代にしても、自分の村には下等な人間ばかりが住んでいる、と思いこんでおり、家から外へ出るのが怖い。入り江のほとりの大きな家に住むこの兄弟たちは、現代の青年にとても近いのではないか。家や兄弟などという関係が弱くなっているというか、ほぼ形骸化している。そうかといって、それに代わる確固とした自分の拠り所は見つかっていない。だから、この小説の寒々とした入り江のほとりはなぜか気になるのだ。

白鳥は一九六二（昭和三十七）年に八十四歳で他界した。死の直前まで、現役の著述家だった。小説のほかに戯曲、評論、随想などを書き続けた。深夜の読書で白鳥に触れた私の感触では、随想がもっともおもしろい。言いたいことをずばりというう端的さが、随想のところどころにあるのだ。例えば「女連れの旅」。

＊＊＊

〈巴里《パリ》ででもロンドンででも、主な大通を注意して歩いていると、両側の商店の多くが、婦人の衣類や装飾品の店であるの

に、驚かれる。巴里の大百貨店（マガザン）ラファエットやプランタンやルーブルなど、要するに、婦人用の売店なのだ。（略）日本では、婦人の装飾品商店があまりに少な過ぎる。銀座のような所にも、寥々《りょうりょう》として暁天の星のようである。〉

一九三〇年、すなわち昭和五年の随想の一節だが、この目のつけ所がいいではないか。現代の日本に問題は多いが、婦人のための店が多くなっていることはまぎれもない事実。女性たちがきれいに着飾り、生き生きと活動する、その活動の先に明るい入り江があるのではないか。ちなみに、この随想の結びは、文楽に登場する女性の賛美である。彼女らのきびきびした挙動姿態、その美しさを「日本婦人の自然の態度」ではないか、と白鳥は言う。

やや余談だが、私の最近の楽しみは、深夜の読書とランチである。ランチは妻を誘って、時には知人を呼んで、近所の店へ行くが、うまい店はたいてい女性でいっぱいだ。女子会が盛り上がっているという感じの店、その一隅でいただくランチは快い。できれば自分も女性になりたい、と思ったりする。

26 豚になめられる

子どものころ、家に豚がいた。郵便局に勤めていた父が内職で豚を飼っていたのだ。もっとも、近所のどの家にも豚がいたから、その当時、村では豚の飼育がはやっていたのだろう。太平洋戦争に負けて間のない一九五〇年ごろの話である。

今年、すなわち二〇一九年の二月には、長野県や愛知県で豚コレラが発生、私の住む大阪府でも大量の豚が殺処分された。そのニュースを見聞きしながら、庄太郎のことを思った。庄太郎は豚になめられて重病に陥った。

「庄太郎は町内一の好男子で、至極《しごく》善良な正直者である。ただ一つの道楽がある。パナマの帽子を被《かぶ》って、夕方になると水菓子屋の店先へ腰をかけて、往来の女の顔を眺めている。そうして頻《しき》りに感心している。その外にはこれというほどの特色もない。」

＊＊＊

「好男子」は、今でいうイケメン、「パナマの帽子」はおしゃれのしるし、「水菓子屋」は果物屋だ。もっとも、庄太郎、なかなかいかす男なのだ。もっとも、これという仕事をしているわけではない。リンゴやビワなどの果物も、金を出して買ったことはなく、もっぱらそれらの色をほめている。要するに、彼は暇人、夕方の果物屋の前で、行き来する女を眺めるのが趣味というか生きがいなのだ。

ある夕方、いい色の着物を着た女が来

て、籠詰《かご》めの果物を買った。庄太郎はその女に一目ぼれした。籠をさげた女は、これは大変重いと言ったので、庄太郎はお宅まで持って行きましょう、と配達を買って出た。この気軽さはまさに暇人のものだが、なんと庄太郎は行ったきりになって帰ってこない。それで、親類や友だちが騒ぎ出したが、七日目の晩にぶらりと戻ってきた。そして、熱を発して寝込んでしまった。

大勢が寄ってたかって、以下のような話を庄太郎から聞いた。

庄太郎は電車に乗って行った。電車を降りると、草原をどんどん行ったが、やがて崖《がけ》に出た。女はここから飛びこんでごらんなさい、と言った。飛びこまないと豚になめられます、とも。

崖の下は底が見えないくらいに深い。庄太郎がひるんでいると、鼻を鳴らして豚が来た。庄太郎は持っていたステッキで豚の鼻をぶった。豚はぐうといい、ころりとひっくり返って崖を落ちて行った。豚は次々とやってくる。「無尽蔵に鼻を鳴らしてくる。」

「庄太郎は必死の勇を振って、豚の鼻頭を七日六晩叩《たた》いた。けれども、とうとう精根が尽きて、手が蒟蒻《こんにゃく》のように弱って、しまいに豚に舐《な》められてしまった。そうして絶壁の上へ倒れた。」

その庄太郎が、七日目の晩に戻って来たのだが、彼はもう助かるまい、と知人たちは思っている。結局、庄太郎は道楽が過ぎたのか。

＊＊＊

以上は夏目漱石の小説「夢十夜」の話である。引用は岩波文庫によったが、岩波書店からエッセー集『ヒマ道楽』(二〇一六年)を出し、暇人であることを誇っている私は、庄太郎の災難がなんだか人ごとではない。私も豚になめられそうな気がする。

ところで、庄太郎は道楽が過ぎて、ちょっとした異郷へ行ってしまった。日常から非日常へすっと移行する、そういう文学作品がいくつもある。たとえば芥川龍之介の「河童」、萩原朔太郎の「猫町」、宮沢賢治の「注文の多い料理店」、川端康成の「雪国」など。日常をちょっと超えた先に非日常の世界が広がっているのだが、実は文学そのものが、日常を超えた非日常の世界だ。そういう意味では、右に挙げた作品などは、もっとも文学的というか、文学の基本のかたちを示している。

水中の河馬《かば》が燃えます牡丹雪

三月の甘納豆のうふふふふ

これらは私の俳句だが、動物園のカバをなんども見に行っていたら、ある日、牡丹雪がふわふわ舞った。その体験を基にして描いた幻想が燃えるカバの句だ。現実にはありえない光景だが、非現実、すなわち言葉の世界の光景としてはあり得る。庄太郎のように私もカバといっしょにちょっと現実を超えたのだ。甘納豆の句も、現実には笑う甘納豆はない。でも、サンガツノアマナットウノウフフフフと口ずさむと、甘納豆の笑う感じがしないだろうか。甘納豆が現実をちょっと超えているのだ。というわけで、私は庄太郎に近い。

27 屋根の上の万葉集

私は屋根に腰をおろし、眼下の集落の先に広がる海を見下ろしていた。水平線がくっきり見えて、九州へ向かう貨物船が時々現れた。所は四国の西、佐田岬半島の九町《くちょう》と呼ぶ集落である。

＊＊＊

平地の乏しい半島に九町（一町は三千坪、すなわち九千九百平方メートル）も平地がある、というのでこの集落名がついたという。今そこは、四国電力伊方《いかた》原子力発電所の裏側である。つまり、半島の瀬戸内海側に原発があり、太平洋へ開けた宇和海側に九町がある。私は高校生までをその九町で過ごした。原発を誘致するかどうかで村が大騒ぎになるのは私が村を出た直後からだった。

その九町にいたころの私の意識では、九町が表、原発のある側が裏だった。原発ができた地区は九町越《ご》しと呼ばれ、九町から半島の稜線《りょうせん》を越えて行く場所だったのだ。九町越しには数軒の家があり、私の同級生もいた。小学生の私たちは遠足でその九町越しの磯へよく行った。家族や仲間と磯遊びや釣りをしたのもその九町越しの磯だった。ところが、原発ができてからは、原発の方が表、九町は裏になった感じがする。

さて、原発のなかったころの半島へ戻ろう。屋根に腰をおろした私は大きな声で読んだ。

熟田津《にきたづ》に船乗りせむと月待てば潮《しお》もかなひぬ今は漕《こ》ぎ出《い》でな

何度か読むと、私の見ている海が夜に変わり、まん丸い月がのぼる。私は船に乗って、どこか遠い未知の港へと出発する。すわっている屋根はいつのまにか帆船になっている。

この歌は「万葉集」にある額田王《ぬかたのおおきみ》の歌だが、歌の細かな意味などは分からなかった。いや、分からなくてよかった。自分の声、自分の言葉が、胸を広くしてくれる快感、それに小学生の私はひたっていた。

実はそのころ、私は会話ができなくなっていた。ちゃんとしゃべろう、そのためには話す内容を考えてから口を開こう、と私は思い、それを実践したのだが、考えているうちにしばしば場面が移り、私が口を開く機会が失われた。そんなことが重なると、あの子はしゃべらない子、という評判が広がった。無口な子になってしまった私は、学校の花壇の世話をするのがことに好きになった。花壇で草を引いたり、苗に水をやったりしていると、草花と心が通じた。人とはうまくしゃべれないが、草花とは会話が弾んだ。

このような私に気づいた担任の田中先生が、八木重吉の詩集などを貸してくれ、声に出して読みなさい、楽しいよ、と言った。たしかに楽しかった。それで私は、先生に頼んで、音読用の本を買ってもらった。その一冊が万葉集、大学受験用の参考書だった。


石《いわ》ばしる垂水《たるみ》の上のさ蕨《わらび》の萌《も》え出づる春になりにけるかも

＊　＊　＊

この歌を音読すると、屋根は急転して滝になった。私は滝のしぶきをあびている一本のワラビだった。

会話につまずき、言葉への不信、あるいは抵抗感のようなものを抱えていた私は、八木重吉の詩や万葉集を通して、日常の会話とは違う言葉に触れた。詩の言葉、あるいは本の言葉だ。会話ではふさぎがちになるが、本の言葉では胸が開いた。

春の野にすみれ採《つ》みにと来しわれぞ野をなつかしみ一夜寝にける

これも屋根で読んで好きになった万葉集の歌。作者は山部赤人《やまべのあかひと》である。「野をなつかしみ」は野に心をひかれて、ということだろうが、スミレのそばで野宿する男っていいなあ、と五年生は思った。先日、その思いが今なお私の中に生きていることに気づいた。

えんどうの花に泊まって来たと言う

ついさっきホタルブクロを出た人か

私の俳句だが、エンドウの花に泊まる、ホタルブクロから出る人、などという発想は、赤人的というか、屋根の上の万葉集的である。屋根の上で私の言葉の世界が開けたらしい。

28 ザダミザギバンドウ

「四国の西南の、豊予《ほうよ》海峡に向って突出している佐田、三崎半島は長サが五十キロで、幅は、二キロほどの狭いところもある。象の鼻のように、細長い半島である。（略）私は此の半島に生れて、幼年時代をここで過した。ダガバジ・ジンギヂという私の名は、ジンギスカンとは何の関係もない。」

＊＊＊

右のように始まる本がある。詩人・高橋新吉の『ダガバジジンギヂ物語』（一九六五年）だ。

この本を買った日のことを覚えている。東京・神田の古書店へ電話で注文したのだが、「ダガバジジンギヂ物語を注文します」と言ったら、相手が「はい、ダガバジジンギヂですね」と応じた。「そうです、ダガバジジンギヂです」と言ったら笑いが吹き出した。先方も「ダガバジ……」と言いかけて笑い出してしまった。

新吉は一九〇一（明治三四）年に現在の愛媛県西宇和郡伊方町《いかたちょう》に生まれた。先月、話題にしたようにそこは私の郷里である。新吉は「佐田、三崎半島」と書いているが、今は「佐田岬半島」と呼び、長さ約四十キロの細長い半島だ。私は高校時代まで、その半島の中ほどの集落（九町《くちょう》）で過ごした。

留守と言え
ここには誰も居らぬと言え
五億年経ったら帰って来る

「留守」というこの詩は新吉の代表作とみなしてよい。五億年という長い時間が、明日《あした》か明後日《あさって》のように感じられるから不思議だ。

私は今、詩「留守」を角川文庫の『高橋新吉詩集』から引いた。その文庫の一六九ページにこの詩がある。この詩集は高橋新吉さんにもらった。高校時代、新吉さんに手紙を出し、なんどか手紙のやりとりをした。その際、この詩集をもらったのだった。私が何を書いたのかは覚えていない。もらったはずの手紙も残っていないが、新吉さんは詩の好きな郷里の後輩の相手をちゃんとしてくれたのだ。そのことに今、改めて感動したせいか、ついさっきから詩人を「さん」づけで呼んでいる。親しみと敬意が湧いてきたのだ。

＊＊＊

新吉さんは、一九二〇年、十九歳のとき、「万朝報《よろずちょうほう》」という新聞に載ったダダイ

ズムの記事を目にした。家庭、道徳、常識などの一切を否定するその思想に新吉さんは一瞬にして感染、日本のダダイストを名乗り、数年後に詩集『ダダイスト新吉の詩』を出した。

DADAは一切を断言し否定する。

無限とか無とか、それはタバコとかコシマキとか単語とかと同音に響く。

「断言はダダイスト」という詩の冒頭を写したが、無限とタバコを同一視するところがダダ的発想なのだろう。同一化、あるいは同格化することで、秩序や常識を一挙に壊してしまう。

ダダの詩人として中原中也などに影響を与えた新吉さんは、次第に仏教の禅に傾斜、やがて、禅の詩人として知られるようになる。先の「留守」という詩の時間に対する感覚には、ダダと禅の感覚が入り混じっている気がする。

一九八〇年代の初めごろだったと思うが、私はラジオの番組のインタビュアーとして新吉さんを訪ねた。八十代の新吉さんは好々爺《こうこうや》という感じだった。近所のそば屋に連れて行ってもらい、ざるそば二枚をご馳走になった。そばを初めてうまいと思った。

ところで、「留守」という詩から、原発がまだなかったころの郷里を私は連想している。原発が廃炉になったとしても、その跡地が元に戻るには何億年もかかる、と聞いたことがある。真偽のほどはさだかでないが、ともかく長い歳月を要することは確か。新吉さんの詩は、もしかしたら原発の地になった佐田岬半島の未来を予知していたのではないか。「ここ」は佐田岬半島かもしれない。

私は現在、『佐田岬半島』というエッセー集を企画している。原発、新吉さん、半島の風景や暮らしのことなどを書く予定だが、ふと、その本はザダミザギバンドウという題名がいいかな、と思った。著者はヅボウヂ・ネンデン。半島の風や海の音が聞こえてきそうだ。

29 朝ごはんは楽しい

「軽井沢してますか?」

「このごろ軽井沢はどうですか」

出会う人にこのように問われることが多い。軽井沢が私のまわりでは少し知られてきたらしい。もちろん、軽井沢は避暑地として有名だが、話題にしている軽井沢は、ねんてんさんとヒヤマさんの軽井沢である。

＊＊＊

数年前、ふと口にした。「なんだか軽井沢みたい」と。するとヒヤマさん(妻)が、「そうね、こうして座って木立の中にいると錯覚するね」と応じたのだ。

その朝、庭の椅子に座ってコーヒーを飲んでいた。垣根のプリペットがよく育ち、緑が濃くなっていた。台に載せていた鉢植えのカエデや柿は、頭上に梢を広げていた。あたかも大木のように。垣根の外では歩道のケヤキが空に伸びていた。つまり、座っている低い位置から見上げると、狭い庭が森の中のように感じられたのだ。

ノーテンキな話だが、数日後、ヒヤマさんは折りたたみの白いテーブルと椅子を買ってきた。それを広げると、庭はもういっぱいになる。その狭い庭で、私たちの軽井沢が始まった。

私はトースターでパンを焼き、牛乳をコップに注ぐ。ヒヤマさん（彼女は俳句を作るが、俳号がヒヤマ。それで私は日常的にヒヤマさんと呼んでいる）はサラダを用意する。それらを白いテーブルに移し、新聞を読みながら朝ごはんを摂《と》る。

五月、六月の天気のいい日、「今朝は軽井沢しよう」と言って、二人で庭に出る。それが知られてしまって、冒頭のように問われることになったのだ。

実は、ヒヤマさんから、恥ずかしいから外では軽井沢を口にするな、と言われていた。ところが、何かの折にひょいと口にしてしまった。すると、朝ごはんで話が盛り上がった。私の世代、つまり退職した老人たちは、朝ごはんを楽しんでいるのだった。それで、俳句仲間に提案して、朝ごはんと俳句の本を作ることにした。一年三百六十五日の朝ごはんとその日の俳句を記録したのだ。書名は『朝ごはんと俳句365日』(人文書院)。次はこの本の一日分の記事である。

＊＊＊

〈6月6日　楽器の日
今日の季語　蝸牛《かたつむり》
ホットケーキサンド二切れとホットコーヒー。ホットケーキサンドは妻が前日に買っておいてくれたもの。これをオーブントースターで焼いて食べる。妻は九ケ月になる息子に添寝中。四月一日から朝食は五時四〇分。以前より一時間早くなった。勤務先の学校が替わったため。もちろん起床も。六時五分には家を出発。

七時三〇分に学校に到着する。もう一時間遅く出勤もできるが、満員の電車を避け、空いた電車でゆっくりと二度寝を楽しむ。朝食が早いためか、学校に着くと既に給食の時間を楽しみにしている。（岡清範）

キーボードNの上には蝸牛〉

この筆者は三十代、若い俳句仲間だが、空いた電車の二度寝を楽しむのがいいなあ。ちなみに、私は午前三時台に起きる。わが家の軽井沢タイムは彼の朝食時間とほぼ重なる。

小説家とか詩人には夜型が多かった。例外は正岡子規で、彼は朝から食べに食べて

いた。「ぬく飯三わん　佃煮《つくだに》　なら漬　牛乳ココア入り　餅菓子一つ　塩せんべい二枚」。これは一九〇一年秋の彼の朝食のメニュー。寝たきりの重病人だったのだが、食べることが生きているあかしになっていた。それで、朝からごはんを三杯も食べた。

若い人には夜更かし組が多く、朝ごはんを摂らない人も多い。私の勤務していた大学の食堂では、学生用朝ごはんのメニューがあって、朝ごはんをちゃんと摂ることを勧めていた。会社勤めの人なども朝ごはんをゆっくりとは摂れないのが実情かもしれない。だが、朝ごはんをゆっくりとたっぷりと摂る、それは豊かさなのではないだろうか。

私は『朝ごはんと俳句365日』の序文に、「朝ごはんを楽しむのは、二一世紀当初の日本の老人文化なのかもしれない」と書いたが、この老人文化が若い世代へも広がってゆくべきだ、と思っている。ともあれ、朝ごはんは意外に楽しい。

30 田辺聖子さんの言葉

カバンに入れている雨傘は日傘と兼用である。先日、それをさして交差点を渡った。日差しがあまりに強いので、この際、初の日傘体験をしよう、と思いついたのだ。日傘をさしているのは私一人、帽子をかぶった男性たちが、やや冷ややかに見てすれ違ったが、女性たちは別に気にしているふうはない。もっとも他人の視線が気になった私は、ぎこちなく交差点を渡ったのだった。渡り終えると度胸がついて、その

日以来、強い日差しの中を歩く時は日傘をさす。この夏、私は日傘をさす老人になった。

退職してからスーツを着なくなった。ネクタイもしない。すると、着ているものがヒヤマさん（妻）に近くなってきた。Tシャツの上にシャツをはおるのだが、そのスタイルで日傘をさすと、もしかしたら後ろ姿が女性に見えるかもしれない。

＊＊＊

それにしても、女性はブラウスが豊富だし、パンツもいろいろ。日傘だってバラエティーに富んでいる。その点、男性はなんだか貧しい。もちろん、高価なスーツなどはあるのだが、そんなものは私などに必要でない。日常を快適にしなやかに暮らす、そのための普段の衣類などは圧倒的に女性ものが豊富だ。

ここまで書いたとき、神戸の新聞社から電話があり、田辺聖子さんの死を知らされた。実は、私は田辺聖子ファンだった。一緒に酒を飲んだり、座談会をした。

坪内さん、宝塚歌劇を見なさいよ、見ない男はだめですよ、と何度も念を押されたが、その意味がだんだん分かりかけた気分になっていた。日傘をさしたのもその気分の反映だが、その矢先の訃報だった。

田辺さんは、女性とは人生の「ただごと」「ホンネ」「素人」の部分を受け持つ存在だと、たとえばエッセー集『いっしょにお茶を』で述べている。この三つは文学の大事な要素、と彼女は考えていた。エッセー集『歳月切符』から、言葉に触れた彼女の言葉を引こう。

〈日常次元の言葉が、ある魔法によって、とたんに色かわり、手の切れそうにするどく、いきいきしたものによみがえる、そこから舞い上がる感動が、私には魅力である。現代の、生きている、ナマの、俗の言葉を使って、私は、夢物語や、ロマンチックな恋愛小説や、幻想的な小説を書きたいと夢想している。私にとって、言葉というのは、やっぱり、現代の「俗」なるものが、いちばん魅力的である。〉

田辺さんの言う「俗の言葉」、それは先の「ただごと」「ホンネ」「素人」に深く関わっている。端的に言うと、「ただごと」「ホンネ」「素人」を生きる人の言葉が「俗の言葉」なのだ。

田辺さんは『源氏物語』などの古典を愛し、古典の翻訳、古典に材料を取った小説などを書いている。大阪や神戸を舞台にした女性が主人公の恋愛小説もたくさん書いたが、それらのどの作品においても、女性のものである「俗の言葉」が生きている。

＊　＊　＊

さて、日傘をさす老人になった私は、姥《うば》シリーズ四冊をこの夏に再読しようと決めた。『姥ざかり』『姥ときめき』『姥うかれ』『姥勝手』（新潮文庫）の四冊だが、主人公の歌子さんは七十六歳から八十歳に至る。シリーズの第一冊目の『姥ざかり』が単行本になったのは一九八一年、作者五十三歳の年だった。五十代の作者が七十代の主人公を描いたのだが、この自立する老人の小説は、今なお新鮮というか、とても刺激的だ。七十六歳の歌子さんは、夫を早くに亡くし、その後は実業家として会社を切りまわし、今は会社を息子にゆだねてマンションで一人暮らしをしている。次は夫の十七回忌を終えた歌子さんの思い。

〈法事は、近所の仕出し屋で取ったりしてどうやらすませたのであるが、「世間の年よりは法事をたのしみにする」というのがまたまた気にくわない。たのしみにしない年よりもいるのだ。それからして、お茶を習う、わび、さび、などというのもきらい。お花は、四季の花を玄関や床の間に飾れるから習っているが、お茶なんかはしんきくさい。わびさびといわれても、カビの親類ぐらいの気がする。〉

世間の年より云々《うんぬん》は息子の意見だが、「カビの親類」と言い放つユーモアがいいなあ。この続き、次回に書こう。

31 かっこうのいい老人

本のはやらない時代になっている。というか、本をあまり買わなくなっている。私の同世代、つまり後期高齢者になると、買うよりも始末する人が多い。

実は、私も似たようなものである。新しい小説などを買うことがほとんどなくなっている。ある文学賞の選考のために一年間に出た主要な小説を読むが、それは仕事のうち、その仕事がないと、私も新しい小説などには手を出さなくなりそう。

＊＊＊

若者の読書離れが問題視されるが、老人世代の読書離れは若者以上かもしれない。終活の流行、視力や意欲の減退などが、老人の読書離れを促しているのだろうが、本を読む老人って、かっこうがいいのではないか。

カフェで、緑陰のベンチで、寺院の縁側で、あるいは病院の待合室で、ゆったりと本を読む老人たち。そのような風景が出現すると、この世も捨てたものではない、という気がする。終活なんかしておれるか、という気にもなるだろう。

そうなのだ、今、老人たちは終活という言葉にとらわれている。若者が受験にとらわれているように。

終活、すなわち一生を終える用意はたしかに必要だが、それ以上に、今を楽しむ工夫が必要なのではないか。無茶な言い方をすれば、終活などはそっちのけで何かをする、そんな老人に私はなりたい。そんな老人の一つの具体像が本を読む老人だ。

前回、田辺聖子を話題にし、カビの親類みたいなものを一蹴する考えに共感した。終活という当世の流行も蔓延《まんえん》するカビの親類なのではないか。では、次を音読してほしい。カフェにいる時に友だちの前で、あるいは朝ごはんの後で妻を聞き手にして。

〈夜ふけ、ジョゼが目をさますと、カーテンを払った窓から月光が射しこんでいて、まるで部屋中が海底洞窟の水族館のようだった。

ジョゼも恒夫も、魚になっていた。

――死んだんやな、とジョゼは思った。

(アタイたちは死んだんや)

恒夫はあれからずうっと、ジョゼと共棲《ともず》みしている。二人は結婚しているつもりでいるが、籍も入れていないし、式も披露もしていないし、恒夫の親許へも知らせていない。そして段ボールの箱にはいった祖母のお骨も、そのままになっている。

ジョゼはそのままでいいと思っている。長いことかかって料理をつくり、上手に味付けをして恒夫に食べさせ、ゆっくりと洗濯をして恒夫を身ぎれいに世話したりする。お金を大事に貯め、一年に一ぺんこんな旅に出る。(略)

(アタイたちはお魚や。「死んだモン」になった――)

と思うとき、ジョゼは〈我々は幸福だ〉といってるつもりだった。ジョゼは恒夫に指をからませ、体をゆだね、人形のように繊《ほそ》い、美しいが力のない脚を二本ならべて安らかにもういちど眠る。〉

田辺聖子の短編小説「ジョゼと虎と魚たち」（一九八四年）の末尾を引いた。脳性麻痺《まひ》という病名のついたジョゼと、ジョゼを愛する恒夫は、今、新婚旅行中である。ジョゼという女性は、ある日突然、「アタイなあ、これから自分の名前、ジョゼにする」と宣言した。「なんでクミがジョゼになるねん」と恒夫が問うと、「理由なんかない。けど、アタイはジョゼいうたほうがぴったしし、やねん。クミいう名前、放下《ほか》すわ」と応じる。こういう発想、まさにカビから遠い発想ではないか。

＊＊＊

右を音読すると、おそらく気恥ずかしい感じがするだろう。あるいは、音読に勇気がいるかも。恥ずかしさを超え、勇気をちょっと出す、そのことで、私たちはカビを払いのけ、かっこうのいい本を読む老人になれるだろう。

　以上のような話をヒヤマさん（妻）にしたら、「ほんとにかっこうがいいかなあ。カフェで小説を読み始めても、数行読んだら眠くなり、本を落としてしまう。慌てて拾おうとしてコーヒーカップを床に転がすよ、きっと」と言った。それ、つい先日、ヒヤマさんの前で演じた私の失態である。「コーヒーカップだけでなくて、本も落とす。それがいいのだよ」。私はつぶやいた。

32 ああ　虫がないてるね

「夢はいつもかへつて行つた　山の麓のさびしい村に／水引草に風が立ち／草ひばりのうたひやまない／しづまりかへつた午《ひる》さがりの林道を」

＊　＊　＊

この詩を口ずさむと、私はたちまち高校生の自分に戻る。林道でクサヒバリが鳴き、見上げるとさらさらと白い雲が空に流れている。十八歳の私は、好きな女の子のことなどを思いながら、あてどなく歩いている。ときおり林のかなたに海が光る。

先の詩は立原道造の「のちのおもひに」（詩集『萱草に寄す』）という詩である。右で私の思い浮かべた姿は、まさに私の「後《のち》の思い」だ。道造の詩は「うららかに青い空には陽がてり　火山は眠ってゐた」と続く。彼の思いが帰って行くのは、この詩人の愛した浅間山の山麓の村だ。私の思いの帰って行くのは、四国の佐田岬半島のつけねにある出石山《いずし》（標高八百メートル余り）の山麓の村である。ちなみに、私の学んだ高校の校歌では、

天霧らふ　出石ほのかに
雲映ゆる　青き丘のべ

と歌われていて、雲や霧のかかった出石山は学校のどこからでも見えるのだった。あっ、山の話になりかけているが、私が書こうとしているのは、クサヒバリなどの鳴く虫のことである。スズムシ、マツムシ、コオロギ、キリギリス、カネタタキ…。九月の草むらではそれらの虫がしきりに鳴いている。街路樹の樹上ではアオマツムシが高く鳴く。

行水のすて所なき虫の声
上島鬼貫

松虫や素湯《さゆ》もちんちんちろりんと
　　　　小林一茶
虫の夜の洋酒が青く減っている
　　　　伊丹三樹彦
虫の夜の星空に浮く地球かな
　　　　大我あきら

覚えている俳句を引いた。江戸時代の鬼貫の句は、どこでも虫が鳴いていて、行水の水の捨て所に困っている。要するに、虫の声に囲まれて行水をしていたのだ。一茶の句では煮えたぎる湯の音と和してマツムシが楽しそうに鳴いている。三樹彦の句では青い罎《びん》の洋酒がとてもうまそうだし、あきらの句は地球がまるで虫の大合唱に包まれている感じだ。

＊　＊　＊

ところで、私は途方にくれている。肝心の虫の声がほとんど聞こえないのだ。スズムシもクサヒバリも聞こえない。道端の草むらにうんと近づくと、たとえばコオロギの声がやっと聞こえる。私は難聴が進んでいる。父も弟たちも難聴だったので、覚悟はしていたのだが、虫の声がほとんど聞こえないという事態は予想外だった。

かつて医学者の角田忠信の『日本人の脳』(一九七八年)が話題になった。日本語を母語とする人は、虫の鳴き声を左脳、すなわち言語脳で虫の声として聞くが、これは日本人とポリネシアの人くらいで、とても珍しいという説である。この説に対する異論はあるらしいが、ともあれ、現状の私は、こと虫の声に関しては、日本の多くの人々と異なってきたらしい。虫の声は記憶の中の音になった。

さむいね
ああ　さむいね
虫がないてるね

ああ　虫がないてるね
もうすぐ土の中だね
土の中はいやだね
痩せたね
君もずゐぶん痩せたね

これは草野心平の詩「秋の夜の会話」（詩集『第百階級』）である。会話をしているのはカエルたちで、冬眠が近いことを話題にしているのだが、この後に「死にたくはないね」という一行もあって、なんだか切ない。加齢で難聴になった私の切なさと重なっている気がする。この詩、次の会話で終わる。

さむいね
ああ　虫がないてるね
ともあれ、この秋、私は虫から遠い。腹中の虫は怒ったり、空腹になったりして、すこぶる健在なのだが。

33 夢殿へ寄ろう、二、三の団栗と

二十代の友人が話した。

「この夏、ねんてんさんのあの句の気持ちになりました。法隆寺に行ったのですよ。〈夢違観音までの油照り〉。ユメチガイカンノンマデノアブラデリ。ユメタガエでもいいですね。油照りはじりじりと蒸し暑く、あぶら汗が出て来るような

日和。この油照りについてはスマホで調べたのです。ねんてんさん、法隆寺の砂利道を汗まみれになって歩き、意外に小さな夢違観音の前に立ったら、すうと汗がひきましたよ。いい気分になって、あっ、これがねんてんさんの句の心か、と思いました。私の中にあった悪い夢が、いい夢と不意に変えられた感じでしたよ。もっとも、夢違観音のおられる法隆寺の宝物庫（大宝蔵院）は冷房がよく利いていましたが」

最後の一言が余分だ、と文句をつけたかったが、額に汗をにじませて砂利を踏む彼女のようすを想像すると、その姿だけでも讃《たた》えたい気になった。

＊＊＊

いつからだろう、「法隆寺へ行く」と思うと、少し気分があらたまる。信仰のためではない。私は無神論者に近く、信仰心は乏しいのだが、法隆寺界隈《かいわい》の空気というか、風光が好きなのだ。法隆寺のある風景は、それを思うだけでもほっとした気分をもたらす。

法隆寺までのこの道赤まんま

夢殿を出て八方の秋日和

これらも私の句だが、いずれも一九九三年に出した句集『百年の家』にある。法隆寺に行く時は、たいていＪＲの法隆寺駅に降りる。そこからは歩いたり、バスかタクシーに乗るが、『大和路・信濃路』（一九五四年）の著者、堀辰雄は、法隆寺駅に降り立った日のことを次のように書いている。

「けふはめづらしくのんびりした気もちで、汽車に乗り、大和平をはすに横ぎつて、佐保川に沿つたり、西の京のあたりの森だの、その中ほどにくつきりと見える薬師寺の塔だのをなつかしげに眺めながら、法隆寺駅についた。僕は法隆寺へゆく松並木の途中から、村のはうへはひつて、道に迷つたやうに、わざと民家の裏などを抜けたりしてゐるうちに、夢殿の南門のところへ出た。そこでちよつと立ち止まつて、まんまへの例の古い宿屋をしげしげと眺め、それから夢殿のは

う へ向かつた。」

このように書いた堀は、夢殿を見上げ、庭を行き来しながら、会津八一の歌「ゆめどのはしづかなるかなものもひにこもりていまもましますがごと」という歌などを口ずさんでいる。

京都の人文書院から出た『大和路・信濃路』には、入江泰吉の奈良の仏像や風景の写真が挿入されている。本の装丁をしたのは版画家の恩地孝四郎だ。本は横十九センチ、縦十八センチの帙《ちつ》に入っている。定価五百五十円だが、地方価も示されていて、それは五百六十円。この本の出た一九五四年は昭和二十九年、私は十歳だった。数年後に私は本好きになり、本屋で文庫本の詩歌集をあさるようになるが、そのころも地方価があった。ともあれ、敗戦直後の一時期、地方では本が高かったのだ。

＊　＊　＊

余談に及んでいるが、私は『大和路・信濃路』を東京・銀座の奥村書店で買った。十年くらいも前のことである。奥村という美術や歌舞伎の本を扱っていた古書店は今もあるのだろうか（インターネットで調べたら、二〇一四年に閉店セールをしていた）。

以上のようなことを若い友人と話した。そして、

あんパンと連れ立つ秋の奈良あたり

あんパンにちょっと言い寄る空は秋

夢殿へ寄ろう二、三の団栗《どんぐり》と

などが最近の自作だよ、と示したら、

「あんパンと団栗か。ねんてんさんらしいけど、ときには夢違観音や百済《くだら》観音に言い寄ってみたらどう？　でも、抱きついたらだめだよ。ニュースになるし」

と笑った。やはり一言余分だ。

TS

あとがき

二、三年で終わると思っていた。ところが、「ねんてん先生の文学のある日々」の連載は今なお続いている。月に一回、「赤旗」での連載なのだが、ときどき、この話題はほぼ同じことをすでに書いていますよ、と担当の平川由美さんからメールが届く。「あっ、またも重なった。モーロク現象かなあ」と反省するが、実はさほど気にしない。好きな話題、好きな人、好きな本、好きな食べ物の話などは、なんどもしたくなる、それはごく自然な人情だ、と思っているから。

自然な人情といえば、このごろはよく忘れる。人名や本の題がすぐには出てこない。だから、あれ、これという指示代名詞を多用する。「あの人のその本の話ね。たしか評論家の彼、うーん、だれだったかな、経済が専門のあの人だ。彼がほめていたよね」などと話している。このように話しても結構通じている。というか、人名や書名をちゃんと明示する関係よりも、こっちのでたらめに聞こえる関係の方がより素敵、率直な関係かもしれない。

坪内稔典（つぼうち　ねんてん）
1944年愛媛県生まれ。俳人。立命館大学卒。京都教育大学・佛教大学名誉教授。公益財団法人柿衞文庫理事長。「ねんてん先生」の愛称で親しまれている。
著書『ねんてん先生の文学のある日々』（2017年、新日本出版社）、『四季の名言』（2015年、平凡社）、『柿日和── 喰う、詠む、登る』（2012年、岩波書店）、『子規とその時代』（2010年、沖積舎）、『モーロク俳句ますます盛ん── 俳句百年の遊び』（2009年、岩波書店）、『カバに会う── 日本全国河馬めぐり』（2008年、岩波書店）ほか多数。

ブックデザイン　菊地雅志

屋根《やね》の上《うえ》のことばたち── ねんてん先生《せんせい》の文学《ぶんがく》のある日々《ひび》　弐《に》

2020年10月15日　初　版

著　者　坪内稔典
発行者　田所　稔

郵便番号　151-0051　東京都渋谷区千駄ヶ谷 4-25-6
発行所　株式会社　新日本出版社
電話　営業 03(3423)8402
編集 03(3423)9323
info@shinnihon-net.co.jp
www.shinnihon-net.co.jp
振替番号　00130-0-13681
印刷　光陽メディア　製本　小泉製本

落丁・乱丁がありましたらおとりかえいたします。

ISBN978-4-406-06510-8　C0095　Printed in Japan

以上、老化、あるいはモーロク現象を自己弁護しているみたいだが、まぎれもなく自己弁護である。老いに伴う人情を弁護している。ちなみに、人情とは「人間が本来持っている心の動き」（『日本国語大辞典』）だ。この人情を私は平川さんと共有している。共有しているというういい気分に勝手になっているのだが。

ともあれ、連載の継続は予想外、連載が二冊目の本になったことも予想を超えている。今回は連載の二十四回目から五十六回分までを、前著と同様に新日本出版社の久野通広さんがてきぱきとまとめてくれた。やはり前著に続いて挿絵と表紙絵を提供してくれた佐々木知子さんにも感謝する。

この本、コロナ禍に出る。連載を熱心に読んでくださる方々の存在、それが連載が続き、そして本にもなる大きな要因である。あちこちで、たとえば講演の会場などで、「あれ、読んでいますよ」と言われるととてもうれしい。人情の共有を実感するから。この言い方も自己弁護かなあ。

二〇二〇年八月　　坪内稔典